Deutsche
Denker und Forscher

✤ ✤ ✤

Deutsche
Denker und Forscher

✤ ✤ ✤

MENO SPANN *and* C. R. GOEDSCHE

Northwestern University

Prentice-Hall, Inc., Englewood Cliffs, New Jersey

©1954
by PRENTICE-HALL, Inc.,
Englewood Cliffs, New Jersey

Printed in the United States of America

ISBN: 0-13-204008-5

Library of Congress Catalog Card Number: 54-6510

10 9 8 7 6 5 4 3

PRENTICE-HALL INTERNATIONAL, INC., *London*
PRENTICE-HALL OF AUSTRALIA, PTY. LTD., *Sydney*
PRENTICE-HALL OF CANADA, LTD., *Toronto*
PRENTICE-HALL OF INDIA PRIVATE LIMITED, *New Delhi*
PRENTICE-HALL OF JAPAN, INC., *Tokyo*

Preface

To THE STUDENT:

Deutsche Denker und Forscher consists of eight original essays, dealing with the achievements of outstanding Germans. These essays are to give you practice in the reading of expository prose, that is, in that style of writing which you encounter in publications of a reportorial, descriptive, or scientific nature. It is a language with a style of its own, found in newspapers and magazines, in biographical and critical writings in general, and in publications in the fields of natural and social sciences in particular. The book is intended for use after you have gained some familiarity with the rudiments of German, and it should also help you acquire such a reading knowledge of that language as is usually expected of graduate students in the natural or social sciences.

To assist you in the translation, footnotes are given, particularly in the early essays. Here you will find commentaries and translations of syntactical difficulties wherever they occur the first time. In such cases, frequent reference is made to the "Translation Aids" following the texts. Words which we feel should become part of your vocabulary are translated. Those of lesser frequency are given in parentheses.

There are three types of exercises at the end of each essay except the last: Questions to test your comprehension of the text; a Vocabulary Review to check your advance in vocabulary mastery, particularly of such words which appear again in subsequent essays; Practice Sentences to give you additional practice in the recognition and translation of syntactical constructions to which your attention is called in the footnotes. The final essay is followed only by questions.

The end vocabulary omits the 500 most frequently used words, unless such a word is used with an uncommon meaning, e.g. *treatise* for **die Arbeit.** Cognates which can be easily recognized have also been omitted.

The authors acknowledge with thanks the valuable assistance given them by Professor Edwin H. Zeydel.

M. S.
C. R. G.

Contents

Deutsche
Denker und Forscher

✤ 1 ✤

WILHELM UND JAKOB GRIMM

Eine Märchensammlung [1]

Die Märchensammlung der Brüder Grimm erschien [2]
zur Zeit der napoleonischen Kriege; der zweite und letzte
Band [3] im Jahre der Schlacht von Waterloo, 1815.
Seit dieser Zeit sind die Grimmschen [4] Märchen im
ganzen Abendland bekannt geworden. [5] Es gibt [6] wohl 5
kein Kind, das nicht die Geschichten von Schneewittchen
bei den sieben Zwergen, von Hänsel und Gretel, von Rotkäppchen und dem bösen Wolf und von Aschenputtel
kennt.
Die Märchensammlung war nun aber nicht die einzige [7] 10
bedeutende Leistung [8] der Brüder Grimm. Sie haben als
Gelehrte, [9] als Begründer der germanistischen Wissenschaft, [10] noch viel mehr geleistet. Jakob Grimm schrieb die
erste große historische Grammatik der deutschen Sprache
und begründete damit die historische Sprachforschung, 15

[1] die Märchensammlung collection of fairy tales
[2] erscheinen to appear   [3] der Band volume
[4] Grimmschen Grimm's (*The suffix* -sche *is added to a personal noun
when the latter is used as an adjective*)
[5] sind bekannt geworden have become known; *s.* #1a
[6] Es gibt there is *when the object is in the singular;* there are *when the
object is plural*
[7] einzig only   [8] die Leistung achievement
[9] der Gelehrte scholar
[10] germanistische Wissenschaft Germanics, *science concerning German
and Germanic philology, i.e. a study of language, literature, and culture*

1

wie wir sie heute kennen. Er benutzte [11] die wissenschaftliche, vergleichende Methode und hielt [12] sich streng an die sprachwissenschaftlichen [13] Tatsachen. Das war zu Grimms Zeiten, wo sich Wissenschaftler noch auf meta-
5 physische Spekulationen verließen,[14] eine fast revolutionäre Neuerung.
Den Geist [15] dieser Zeit zeigt die folgende Bemerkung [16] Hegels, des großen Philosophen. Ein Kritiker machte Hegel darauf aufmerksam,[17] daß die historischen Tatsachen nicht
10 mit seiner Geschichtsphilosophie übereinstimmten.[18] Hegel soll [19] geantwortet haben: „Um so schlimmer [20] für die Tatsachen." So dachte der größte Philosoph jenes Zeitalters.[21] Man sieht, wie die Brüder Grimm ihrer Zeit voraus waren.
15 Außer der Märchensammlung und der historischen Grammatik schenkten die Brüder ihrem Volke auch das große Wörterbuch, das als Grimms Wörterbuch jedem gebildeten Deutschen bekannt ist. In diesem Wörterbuch sollte [22] jedes Wort der deutschen Sprache in seiner hi-
20 storischen Entwicklung [23] gegeben werden. Die Brüder begannen die Arbeit und entwickelten die Methode. Ursprünglich [24] planten sie ein Wörterbuch in vier Bänden. Die Arbeit sollte in fünf Jahren beendet sein, und im Jahre 1852 wurde der erste Band veröffentlicht.[25] Seit dem Tode

[11] benutzen to use, employ   [12] (sich halten an to keep to)
[13] sprachwissenschaftlich (language-scientific) linguistic
[14] sich verlassen auf to rely on
[15] *Find the subject of this sentence!* The form den tells us that Geist (spirit) is not the subject but the object; s. #7a
[16] die Bemerkung remark
[17] machte Hegel darauf aufmerksam called Hegel's attention to the fact; s. #12a
[18] überein-stimmen to agree   [19] soll is said to; s. #5a
[20] um so schlimmer so much the worse   [21] das Zeitalter era
[22] sollte gegeben werden was to be given; s. #5b
[23] die Entwicklung development   [24] Ursprünglich Originally
[25] wurde . . . veröffentlicht was published; s. #1b

der Brüder haben nun schon vier Generationen von Gelehrten an der Vollendung des Riesenwerkes gearbeitet. Man nimmt heute an,[26] daß das vollendete Werk
aus 32 Bänden bestehen wird. Trotzdem es bis heute
nicht vollendet ist, so ist doch das Wörterbuch von [5]
größtem Nutzen[27] für Gelehrte, Schriftsteller[28] und
Dichter.[29]

Der Weltruhm der Brüder Grimm beruht aber nicht
nur auf ihrer Gelehrtenarbeit, sondern auch auf ihrer
Märchensammlung. Mit ihren Zeitgenossen,[30] den Dich- [10]
tern, Historikern und Philologen der Romantik,[31] teilten
die Brüder Grimm die Liebe zum einfachen Volke und zu
der Dichtung, in der sein Geist[32] lebte, wie Volksliedern,
Volksmärchen und Volksbüchern. Wie ihre Freunde, die
Dichter Arnim und Brentano, Volkslieder sammelten, so [15]
sammelten die Brüder Grimm Volksmärchen. Sie dachten
dabei[33] nicht an ihren eigenen Ruhm, sondern an die Erhaltung[34] einer Dichtung, die nur in der mündlichen Tradition des Volkes zu finden war.[35] Es war ihr Ziel,[36] diese
Märchen durch ihre Veröffentlichung auch bei den Ge- [20]
bildeten bekannt zu machen und sie davor[37] zu retten,
vergessen zu werden.

In vergangenen Jahrhunderten waren die Märchen bei
jung und alt, hoch und niedrig[38] beliebt gewesen, aber
dann kam das achtzehnte Jahrhundert, das Jahrhundert [25]

[26] an-nehmen to accept; *here* assume
[27] der Nutzen usefulness
[28] (der Schriftsteller writer)   [29] der Dichter poet
[30] der Zeitgenosse contemporary
[31] die Romantik Romanticism, *literary movement extending from the end
of the 18th through the first decades of the 19th century*
[32] der Geist ghost; spirit; *here* genius   [33] dabei in so doing
[34] (die Erhaltung preservation)
[35] zu finden war could be found; *s.* #4   [36] das Ziel aim, goal
[37] sie davor zu retten, vergessen zu werden to save them from being forgotten; *s.* #12b
[38] Hoch und Niedrig (high and low) rich and poor

der Aufklärung,[39] mit der Überbetonung des Verstandes [40] und seiner aristokratischen „Verfeinerung" [41] des Geschmackes. Die Gebildeten lächelten jetzt über diese Märchen und vergaßen sie zusammen mit den alten Volks-
5 liedern. Nur bei dem Volke, in den Spinnstuben und unter der Dorflinde, bei Bauern, Handwerkern und anderen einfachen Menschen waren die Märchen noch zu Hause. Dort fanden sie die Brüder Grimm und schrieben sie auf, wie sie ihnen erzählt wurden.[42] Manche Märchen [43] haben
10 aber auch ihre Freunde für sie gesammelt. Alle Volkskunst ist einfach und hält an alten Traditionen fest. So finden wir auch im Märchen stereotype Formen für Charaktere und Schauplätze.[44] Die meisten Märchen haben das Dorf oder den Hof als Hintergrund, und die
15 Zahl der Personen [45] ist klein. Im Märchendorf wohnen natürlich eine größere Anzahl von Charakteren als am Hof, den der Märchenerzähler nie mit eigenen Augen gesehen hatte. Im Dorf befinden sich [46] Bauern und Bäuerinnen, Schuhmacher, Schneider,[47] Schmiede,[48]
20 Musikanten, Hirten,[49] zurückgekehrte Soldaten usw.,[50] und eine Tierwelt, die sich vom Wolf im benachbarten Wald bis zur Katze hinter dem Ofen erstreckt. Am Hof leben König und Königin, Prinzen und Prinzessinnen in großer Pracht [51] und mit Kronen auf den Köpfen, die sie
25 auch im Bett nicht abnehmen. Von den anderen Menschen am Königshof kommen nur ein paar Diener, der Koch, der Jäger und hin und wieder [52] ein Ratgeber vor.[53] Die Stadt

---

[39] die **Aufklärung** Enlightenment, *philosophic movement of the 18th century*
[40] (die **Überbetonung des Verstandes** over-emphasis on rational thinking)
[41] (die **Verfeinerung** refinement)   [42] *s.* #1b   [43] *s.* #7b
[44] der **Schauplatz** scene   [45] die **Person** *here* character
[46] **sich befinden** to be found; *s.* #2   [47] der **Schneider** tailor
[48] der **Schmied** blacksmith   [49] der **Hirt** shepherd
[50] **usw.** = **und so weiter** and so on   [51] (die **Pracht** splendor)
[52] **hin und wieder** now and then   [53] **vor-kommen** to appear

und ihre Bewohner spielen im deutschen Volksmärchen
keine besondere Rolle. Unter den stereotypen Märchenlandschaften verdient
der Wald an erster Stelle genannt zu werden,[54] der dunkle
Märchenwald, in dem sprechende Tiere, Riesen, Hexen,[55] 5
Feen und Elfen wohnen. Auch hier zeigt es sich,[56] daß
Liebe zum Walde ein charakteristischer Zug[57] deutscher
Literatur ist. In keiner der europäischen Literaturen spielt
der Wald eine so große Rolle wie in der deutschen. Auch
die deutsche Sprache zeigt diese Liebe zum Walde in 10
Wortbildungen wie Waldeinsamkeit,[58] Waldesdunkel,
Waldesnacht. Manche Märchen, wie Schneewittchen und Hänsel und
Gretel, könnte man Waldmärchen nennen, denn [59] in ihnen
ist der Wald mehr als ein Schauplatz und Hintergrund 15
der Handlung, er ist ein Teil der Handlung selbst. Außerdem [60] gibt der Wald diesen Märchen ihre eigenartige
Stimmung.

In der Welt des Märchens herrscht poetische Gerechtigkeit. Der unschuldig Verfolgte [61] wird am Ende vom Tode 20
errettet oder aus tiefem Elend [62] auf die Höhen des
Glücks geführt. Die Schlechten [63] bekommen ihre wohl-
verdiente, manchmal recht [64] grausame Strafe. Schnee-
wittchens Stiefmutter z.B.[65] muß bei der Hochzeit [66] ihrer
Tochter in glühenden Pantoffeln [67] tanzen, bis sie tot um- 25
fällt. Im Märchen vom Aschenputtel picken die Tauben

[54] s. #1b   [55] (die Hexe witch)
[56] sich zeigen to be evident; s. #2   [57] (der Zug feature)
[58] die Waldeinsamkeit solitude of the woods   [59] denn for
[60] Außerdem Moreover
[61] der unschuldig Verfolgte (the innocently persecuted man) the inno-
cent man who is persecuted; s. #13a
[62] das Elend misery   [63] s. #13a
[64] recht adj. right; here adv. rather
[65] z.B. = zum Beispiel for example   [66] die Hochzeit wedding
[67] (der Pantoffel slipper)

den bösen Schwestern beide Augen aus, was übrigens
symbolisch zu verstehen ist,[68] denn sie sind ihr ganzes
Leben „blind" gewesen. Sie haben nicht sehen können,
daß Aschenputtel so viel schöner und besser war als sie.
5 Deshalb sollen sie auch im wirklichen Sinne des Wortes
blind werden.

Es ist selbstverständlich, daß Gelehrte wie die Brüder
Grimm eine literarische Erscheinung [69] wie die Märchen
wissenschaftlich untersuchten und durch eine Theorie zu
10 erklären versuchten. Sie sahen in den Volksmärchen Überreste uralter germanischer [70] Sagen und Mythen. Die Urform [71] des Märchens vom Dornröschen z.B. war für sie die
Mythe vom Sonnengott, der mit seinem Lichtschwert
durch den Eispanzer der Jungfrau Erde schneidet und sie
15 so aus ihrem Zauberschlaf [72] erlöst. Die erwachte Schöne
schenkt nun ihrem Geliebten den Reichtum der Erde,
d.h.[73] alles, was sie an Blumen und Früchten besitzt. Dies
schien den Brüdern eine germanische Urmythe gewesen
zu sein, die sich nach zwei Richtungen hin [74] entwickelt
20 hatte, nämlich zu einer Sage und zu einem Märchen. In der
Sage ist der Sonnengott zu Siegfried und die schlafende
Erde zur Walküre [75] Brunhild geworden; im Märchen sind
der Eispanzer der Mythe und die Feuerwand der Sage zur
Dornenhecke geworden. Anstatt eines Sonnengottes oder
25 eines Helden finden wir einen schönen jungen Prinzen.

[68] ist . . . zu verstehen must be understood; s. #4
[69] (die Erscheinung phenomenon)
[70] germanisch Germanic or Teutonic, *designating language and culture of the ancestors of English-, Dutch-, German-, and Scandinavian-speaking peoples*
[71] (die Urform original form; archetype)
[72] (der Zauberschlaf enchanted sleep)
[73] d.h. = das heißt that is to say
[74] nach zwei Richtungen hin in two directions (*The adverb* hin *expresses motion away from the speaker and is not translated*)
[75] die Walküre Valkyrie, *battle-maiden of Wodan who conducted fallen warriors to Valhalla*

Solche Theorien [76] kann die moderne Märchenforschung [77] nicht als wissenschaftlich annehmen. [78] Alte
Mythen und Sagen leben wohl manchmal in Form eines
Märchens weiter, aber die Brüder sind mit ihrer Theorie
viel zu weit gegangen. Man kann sogar sagen, sie haben 5
den Ursprung [79] und den Charakter der Märchen nicht
richtig verstanden. Das war natürlich nicht die Schuld [80]
der Brüder. Man vergesse nicht, [81] wieviel Arbeit in der
Märchenforschung in den hundert Jahren, die seit dem
Tode der Brüder vergangen sind, geleistet worden ist. [82] 10
Außerdem kennen wir heute die Märchen fast aller Völker
der Erde. Wir wissen etwas, was die Brüder zu ihrer Zeit
nicht wissen konnten: Für viele Märchen ihrer Sammlung
finden sich [83] Varianten bei fast allen Völkern der Erde.
Die Märchen können also nicht eine Weiterentwicklung 15
altgermanischer Mythen sein.

Gewisse [84] Negerstämme in Zentralafrika z.B. haben
eine Variante zum Beginn des Schneewittchenmärchens.
Das Negermärchen erzählt von einem Häuptling, [85] dem
ein Sohn geboren wurde, der außerordentlich [86] schön war 20
und außerdem einen goldenen Stern auf der Stirn [87] hatte.
Die Schönheit des Kindes macht den Vater eifersüchtig, [88]
und er schickt den Jungen mit einem Krieger in den Wald,
wo dieser den Häuptlingssohn töten soll. [89] Den Krieger
aber rühren [90] die Schönheit und die Bitten des Kleinen, 25
und er läßt ihn laufen. „Die wilden Tiere werden das tun",

---

[76] *s.* #7b
[77] die **Märchenforschung** research in the field of fairy tales
[78] **an-nehmen** to accept   [79] der **Ursprung** origin
[80] die **Schuld** fault
[81] **Man vergesse nicht** One should not forget; *s.* #6a
[82] **leisten** to accomplish; *here* to do; *s.* #1b   [83] *s.* #2
[84] **Gewisse** Certain   [85] (der **Häuptling** chief)
[86] **außerordentlich** extraordinarily   [87] (die **Stirn** forehead)
[88] (**eifersüchtig** jealous)   [89] *s.* #5a
[90] (**rühren** to move; *translate passively*: The warrior is moved by)

so denkt er, „wozu [91] ich nicht das Herz habe." Bis dahin [92] haben wir eine ganz klare Variante zur Schneewittchengeschichte, aber dann geht das Negermärchen ganz anders weiter als bei den Brüdern Grimm. Übrigens finden sich
5 für den Rest des Negermärchens auch Varianten in anderen Grimmschen Märchen.

Wie erklärt sich diese sonderbare [93] Tatsache? Die Ethnologen haben eine Theorie aufgestellt, die das Richtige zu treffen scheint.[94] Sie haben darauf hingewiesen,[95]
10 daß viele Märchenmotive im Seelenleben des primitiven Menschen ihren Ursprung haben. Die Beseelung [96] der Natur z.B. ist allen Primitiven gemein. Tiere und Steine sprechen. In Bergen, im Meer und in der Luft, in Bäumen, Flüssen und Quellen leben gute oder böse Geister. Die
15 menschliche Seele erscheint als Vogel. Diesen Seelenvogel finden wir bei den alten Ägyptern, bei afrikanischen Negern, nordamerikanischen Indianern und in Grimms Märchen Nummer siebenundvierzig. In einem Negermärchen erscheint die Seele einer ermordeten Frau als
20 Vogel, der vor dem mörderischen Ehemann hin und her [97] flattert. Der Mörder läuft hinter dem Vogel her, um ihn zu fangen, und kommt so in das Dorf seiner Frau, wo ihn die Verwandten der Toten erschlagen. In Grimms Märchen erscheint die Seele eines Ermordeten gleichfalls [98] als
25 Vogel, um an der Mörderin—es ist die böse Stiefmutter— Rache zu nehmen.

Eine wichtige Tatsache muß noch erwähnt [99] werden.

---

[91] **wozu** for which   [92] **Bis dahin** (Up to there) So far
[93] **sonderbar** odd, strange
[94] **das Richtige zu treffen scheint** (seems to hit the right thing) seems to provide the right answer
[96] **haben darauf hingewiesen** have pointed out; *s.* #12c
[96] (**die Beseelung** animation)   [97] **hin und her** back and forth
[98] **gleichfalls** likewise   [99] **erwähnen** to mention; *s.* #1b Note

Man sollte nie ein ganzes Märchen mit einem anderen
Märchen vergleichen,[1] sondern nur die Elemente, aus
denen die Märchen bestehen, die sogenannten Motive.
Diese Motive sind uralt und wandern von Volk zu Volk.
Wo es Märchenerzähler gibt, da werden diese Motive in end- 5
losen Variationen zu Märchen vereinigt. Oft ist aber auch
ein bestimmtes Märchen besonders beliebt und wandert
als Ganzes [2] von Volk zu Volk.

Als Beispiel für das oben Gesagte [3] diene [4] uns das
Schneewittchenmärchen, dessen [5] Anfang, wie erwähnt, 10
mit einem Negermärchen übereinstimmt. Im Grimmschen
Schneewittchenmärchen finden sich die folgenden Motive: (1) Einem kinderlosen Ehepaar wird spät in der Ehe
ein Kind von außerordentlicher Schönheit geboren. (2)
Die böse Stiefmutter. (3) Der sprechende Spiegel [6] oder 15
irgendein [7] anderes Zauberding,[8] das für die Handlung
wichtig ist. (4) Das Mitleid [9] des Jägers, der nicht das
Herz hat, das Kind zu töten. (5) Rettende gute Geister
oder Menschen, die in der Wildnis für das ausgestoßene [10]
Kind sorgen. (6) Neue Mordversuche, von denen [11] der 20
dritte der gefährlichste ist. (7) Scheintod [12] und Wiedererweckung. (8) Belohnung [13] der Guten, Bestrafung der
Bösen.

All diese Motive sind bekannt; sie finden sich bei den
verschiedensten Völkern und kommen auch in anderen 25
literarischen Werken vor. Scheintod und Wiedererweckung der Heldin finden wir z.B. in Shakespeares *Romeo
und Juliet*. Als Beispiel für das vierte Motiv sei hier nur

---

[1] **vergleichen** to compare   [2] **als Ganzes** in its entirety
[3] **das oben Gesagte** what has been said above; *s.* #13b
[4] **diene** may serve; *s.* #6a   [5] *s.* #11   [6] (der **Spiegel** mirror)
[7] **irgendein** some   [8] **das Zauberding** magic object
[9] **das Mitleid** pity   [10] **ausgestoßen** *p.p.* outcast   [11] *s.* #11
[12] **der Scheintod** apparent death   [13] **die Belohnung** rewarding

die Ödipussage [14] erwähnt, in der der kleine Ödipus von
einem Diener getötet werden soll, der das Kind aber nur
im Walde läßt, sodaß es gerettet werden kann.
Diese Beispiele genügen,[15] um zu zeigen, daß die heu-
5 tige Märchenforschung sich weit von allem entfernt [16]
hat, was die Brüder Grimm von den Märchen glaubten,
und was sie zu ihrer Sammlung begeisterte.[17] Den literarischen Wert aber und die Zauberkraft, die die Märchen
auf jung und alt ausüben,[18] haben die Brüder richtig
10 erkannt. Was auch [19] die Gelehrten heute über Ursprung
und Wesen [20] der Märchen zu sagen haben, der Wunsch
der Brüder ist erfüllt: Die Märchen sind nicht vergessen
worden und gehören heute zum Gemeinbesitz der abendländischen Kultur.

EXERCISES

A. Questions

1. Was war das Neue an Jakob Grimms historischer Grammatik der deutschen Sprache?
2. Warum ist Grimms Wörterbuch von großem Nutzen für
die sprachwissenschaftliche Forschung?
3. Für welche Formen der Volksdichtung interessierten sich
die Dichter und Philologen der Romantik?
4. Warum hatte das Jahrhundert der Aufklärung kein Interesse für die alten Märchen?
5. Welche Personen kommen in den Märchen immer wieder
vor?
6. Welche Strafe bekommen die Schlechten im Märchen vom
Aschenputtel?

[14] die Ödipussage the legend of Oedipus (*The child was to be killed,
because an oracle had foretold that Oedipus would kill his father. This
prophecy was later fulfilled.*)
[15] genügen to suffice   [16] sich weit entfernen to move far away
[17] begeistern to inspire   [18] (aus-üben auf to have on)
[19] Was auch No matter what
[20] das Wesen being; nature; system; *here* character

7. Wer sind der Sonnengott und die schlafende Erde im Märchen?

8. Welche Tatsache, die die Brüder Grimm nicht kannten, zeigt uns, daß die Märchen nicht eine Weiterentwicklung altgermanischer Mythen sein können?

9. Wie zeigt sich die Naturbeseelung des primitiven Menschen im Märchen?

10. Welches Motiv kommt in der Ödipussage und im Schneewittchenmärchen vor?

B. Vocabulary Review

1. das Beispiel
2. die Schuld
3. das Mitleid
4. das Wesen
5. der Gelehrte
6. die Bemerkung
7. der Dichter
8. der Geist
9. die Forschung
10. die Handlung
11. die Geschichte
12. der Ruhm
13. das Ziel
14. das Jahrhundert
15. das Elend
16. die Strafe
17. die Tatsache
18. der Ursprung
19. ursprünglich
20. die Wissenschaft
21. wissenschaftlich
22. die Bedeutung
23. bedeutend
24. sammeln
25. die Sammlung
26. entwickeln
27. die Entwicklung
28. leisten
29. die Leistung
30. veröffentlichen
31. die Veröffentlichung
32. schicken
33. retten
34. lächeln
35. schenken
36. erwähnen
37. erkennen
38. erscheinen
39. vergleichen
40. vereinigen
41. versuchen
42. untersuchen
43. benutzen
44. besitzen
45. gehören
46. genügen
47. vorkommen
48. annehmen
49. übereinstimmen
50. gefährlich
51. verschieden
52. bestimmt
53. sonderbar
54. einzig
55. außerdem
56. denn
57. besonders
58. sofort

59. fast	67. um so schlimmer
60. trotzdem	68. irgendein
61. übrigens	69. hin und wieder
62. deshalb	70. es gibt
63. sogar	71. usw.
64. also	72. d.h.
65. besonder-	73. z.B.
66. bestehen aus	

C. Practice sentences

1. Es gibt in den Volksliedersammlungen Europas viele Lieder, deren Melodien in unserer Zeit wieder populär geworden sind.

2. Die Märchen vieler Völker und Zeiten sind von modernen Folkloristen untersucht worden, aber trotzdem bleibt noch viel zu tun: Alle diese Märchen sind miteinander zu vergleichen, die Wanderungen gewisser Motive durch die Länder und die Zeiten müssen erklärt werden usw.

3. Man glaube nun aber nicht, daß alles dadurch erklärt werden kann.

4. Bei einem Negerstamm in Zentralafrika gibt es viele Märchen, die als Beispiele der Smithschen Theorie dienen können.

5. Bei den Indianerstämmen Nordamerikas finden sich viele solcher Märchen.

6. Er interessierte sich nicht dafür, was die Gelehrten zu diesem Problem zu sagen hatten.

✦ 2 ✦

GOETHE

Der Schöpfer[1] eines
grossen Symbols

Direktor Kreuzerle macht gute Reklame[2] für sein Puppentheater. Seine hübsche Tochter steht in orientalischem Phantasiekostüm auf dem Marktplatz von Frankfurt und schlägt die Trommel, während sein fünfjähriges Söhnchen in ähnlichem Kostüm Theaterzettel[3] verteilt. Da lesen die 5 Bürger Frankfurts:

Mittwoch den 6. und Donnerstag den 7. Juni 1761 wird im großen Saal zum Blauen Hirsch[4] aufgeführt *Doktor Faustus' Leben, Taten und Höllenfahrt.* Ein großes Drama in vier Akten mit Ballett, Geistererschei- 10 nungen usw.

Der Personenliste folgen die[5] das Publikum besonders interessierenden „Attraktionen"[5]:

Ein Rabe kommt aus der Luft und holt den Teufelspakt. Der Hanswurst[6] liest in einem der Zauberbücher seines 15 Herrn, des Doktor Faustus. Er kann nicht weitergehen, bis er die Schuhe ausgezogen hat. Die Schuhe tanzen miteinander auf eine lustige Art. Doktor Faustus verkauft einem Bauern ein Pferd. Der

---

[1] (der Schöpfer creator)   [2] (die Reklame advertisement)
[3] (der Theaterzettel play-bill)   [4] (der Hirsch stag)
[5] *Read:* die Attraktionen, die das Publikum besonders interessieren; *s.*
#10
[6] der Hanswurst *clown of the early German stage and puppetshow*

13

Bauer will darauf fortreiten, aber es verwandelt sich [7] in ein Bündel Heu. Nun will er sein Geld von Dr. Faustus zurückhaben, aber der tut, als schliefe er.[8] Der Bauer will ihn wecken und zieht ihn am Bein. Er zieht dem Doktor Faustus das Bein [9] aus dem Leibe. Doktor Faustus lacht und verschwindet [10] durch die Wand.

Hanswurst will den Zauberer spielen, und er ruft mehrere Teufel aus der Hölle, mit denen er seinen Spaß hat.

Hanswurst reitet auf dem Rücken des Teufels nach Parma in Italien.

Die schöne Helena erscheint und singt eine seltsame [11] Arie.

Doktor Faustus nimmt bei einem Bankett von seinen Studenten und seinem Famulus [12] Wagner Abschied.[13]

Die Teufel zerreißen den Doktor Faustus und werfen ihn dann in ein Höllenfeuer, das auf offener Bühne [14] erscheint.

Der unterirdische Palast des Pluto.[15] Die höllischen Furien tanzen ein Ballett, weil sie den Doktor Faustus in ihr Reich [16] gebracht haben.

Hanswurst ist jetzt Nachtwächter von Wittenberg [17] und wird zum Schluss der Vorstellung [18] ein schönes Stück auf seinem Nachtwächterhorn spielen.

Preise der Plätze:

Erster Platz 10 Groschen [19]

Zweiter Platz 5 Groschen

Dritter Platz zweieinhalb Groschen

Der Anfang ist Punkt sieben Uhr. Ende 9 Uhr. Die Türen werden um 6 Uhr geöffnet.

Direktor Kreuzerle.

[7] sich verwandeln to change
[8] der tut, als schliefe er the latter acts as though he were asleep
[9] dem Doktor Faustus das Bein Doctor Faustus' leg
[10] verschwinden to disappear   [11] seltsam strange
[12] (der Famulus [*Lat.*] assistant)
[13] Abschied nehmen to say good-bye   [14] die Bühne stage
[15] Pluto *the god of the lower world or Hades*   [16] das Reich realm
[17] Wittenberg *famous university-town during the Middle Ages, where, according to tradition, Dr. Faustus studied theology*
[18] die Vorstellung performance
[19] der Groschen *old silver coin worth approximately 2½ cents*

Als die Türen zum großen Saal [20] des Wirtshauses um 6
Uhr geöffnet werden, stürmt als einer der ersten der kleine
Wolfgang Goethe herein, so daß er in der Mitte der ersten
Reihe sitzen kann. Aufmerksam [21] studiert er jetzt den
Vorhang,[22] auf dem Apollo [23] und die neun Musen zu sehen 5
sind.[24] Apollo hält in der einen Hand seine Leier [25] und in
der anderen eine Tafel,[26] auf der geschrieben steht:

Ars Longa Vita Brevis

„Die Kunst ist lang, das Leben ist kurz" übersetzt Wolfgang für seine Kameraden, die um ihn herum sitzen und 10
sich nicht über die Kenntnisse des kleinen Goethe wundern, denn es ist in der ganzen Stadt bekannt, daß er ein
sehr kluger Junge ist. „Steht das im Horaz?" [27] fragt einer
neben ihm, der zeigen will, daß er auch etwas gelernt hat.
„Wie kann das im Horaz stehen", antwortet Wolfgang. 15
„Das ist doch ein Sprüchlein [28] in Prosa, und Horaz hat nur
Poesie geschrieben!"

Dann unterhalten sie sich über das aufzuführende
Stück.[29] Man debattiert darüber, in welcher Form Mephistopheles erscheinen werde. Einige behaupten, daß er als 20
ein großer Hund oder Bär auf die Bühne springen werde.[30]
Wolfgang sagt, er habe in einem Faustbuch gelesen, daß
der Teufel dem Doktor Faustus in Gestalt [31] eines Mönches
erschienen sei.[32] Er habe aber natürlich seine Gestalt verwandeln können, z.B. in ein geflügeltes Pferd, und so habe 25
er seinen Herrn Faustus durch die Lüfte getragen, in ferne

[20] der Saal hall   [21] (aufmerksam attentively; *here* intently)
[22] der Vorhang curtain
[23] Apollo *the god of manly youth and beauty, of poetry and music*
[24] *s.* #4   [25] (die Leier lyre)
[26] (die Tafel tablet)
[27] Steht das im Horaz (geschrieben)? (*literally:* Does that stand written
in Horace?) Did Horace write that? (*Horace was a Latin poet, 65–8 B.C.*)
[28] (das Sprüchlein short verse, saying)
[29] das aufzuführende Stück the play to be presented; *s.* #10b
[30] *s.* #6g   [31] die Gestalt form   [32] *s.* #6g

Länder und Städte, ja sogar in den Himmelsraum,[33] den
Gestirnen zu.[34] So unterhalten sich die Jungen, oder besser,
so unterhält sie Wolfgang, bis schließlich um sieben Uhr
der Vorhang aufgeht und das Puppenspiel mit dem „Vor-
5 spiel [35] in der Hölle" beginnt.

Pluto sitzt fett und schwarz vor einem Hintergrund,[36]
auf dem des höllischen Effektes wegen [37] ein dampfender [38]
Fluß mit einem schwimmenden Drachen zu sehen ist. In
dichterischer Sprache—aber mit schwäbischem [39] Akzent
10 —beschwert [40] sich der Herr der Hölle über seine Teufel,
die ihm nicht genug Seelen brächten. Da erscheint Mephistopheles—er hat ein schwarzes Teufelsgesicht und Bocksfüße,[41] ist aber wie ein Mönch angezogen—und verspricht
seinem Herrn, eine besonders wertvolle Seele, die des
15 Doktor Faustus, für das höllische Reich zu gewinnen. Dann
fällt der Vorhang, und das klassische Bild Apollos und der
neun Musen verdeckt [42] die schrecklichen Formen der
gotischen Phantasiewelt.

Das Publikum applaudiert und wartet dann ungeduldig
20 darauf,[43] den Doktor Faustus zu sehen, von dem sie alle
gehört oder gelesen haben.

Endlich verschwinden Apollo und die neun Musen. Der
Puppenfaust sitzt mit etwas verrenkten [44] Beinen in seiner
Studierstube an einem Tisch voller Bücher und Perga-
25 mente. Von der Decke hängt ein ausgestopfter [45] Sala-
mander, und an der Wand sieht man Karten mit astrolo-
gischen und magischen Symbolen.

[33] (der **Himmelsraum** celestial space)
[34] **den Gestirnen zu** toward the stars   [35] das **Vorspiel** prologue
[36] der **Hintergrund** background; here back-scene   [37] s. #9
[38] **dampfend** steaming
[39] **schwäbisch** Swabian, a South German dialect
[40] **sich beschweren** to complain   [41] (**Bocksfüße** pl. goat's feet)
[42] **verdecken** to hide   [43] s. #12c
[44] (**etwas verrenkten** somewhat twisted)
[45] (**ausgestopt** p.p. stuffed)

Direktor Kreuzerle läßt seinem Publikum Zeit, dies alles
in sich aufzunehmen, während Doktor Faustus tief in
Gedanken versunken vor sich hin [46] starrt. Es ist still im
Saal; alle warten gespannt [47] auf das erste Wort des Wit-
tenberger Professors. Er hebt die kleine Hand und läßt sie 5
mit hölzernem Klang wieder auf den Tisch fallen. Sein
langer Monolog beginnt mit lateinischen Maximen, denen
jedesmal die deutsche Übersetzung folgt. Eine dieser Maximen überrascht den kleinen Wolfgang: Nemo sua sorte
contentus est. „Niemand ist mit seinem Lose zufrieden." 10
Ist das wirklich so? Sind die Bürger Frankfurts mit ihrem
Lose unzufrieden?

Wolfgang schüttelt den Kopf. Man braucht doch nur
an Sonn- und Feiertagen [48] vor die Stadt hinauszugehen,
um zu sehen, wie zufrieden sie mit ihrem Leben sind. Da 15
wird ein Gläschen Wein getrunken, ein Pfeifchen geraucht,
etwas über Politik diskutiert, und am Abend geht alles
wieder vergnügt [49] nach Hause.

Doktor Faustus klagt nun die Theologie an,[50] daß sie
ihm die Rätsel des Universums nicht gelöst hätte. Deshalb 20
wolle er es mit der Magie versuchen. Bei diesen Worten
will Faustus vom Tische weggehen, bleibt aber mit einem
seiner Holzbeinchen am Stuhl hängen [51] und muß eine
Weile tanzen und hüpfen um loszukommen. Alles lacht,
und auch Wolfgang lacht, denn er muß an sein eigenes 25
Puppentheater zu Hause denken, das ihm die Großmutter
geschenkt hat, und an die kleinen Unglücksfälle,[52] die
seine Vorstellungen unterbrechen.

[46] **vor sich hin** into space   [47] **gespannt** eagerly
[48] **an Sonn- und Feiertagen** Sundays and on holidays (*If the last part of
two compound nouns is the same, it is expressed by a hyphen after the first
noun*)
[49] **vergnügt** happy   [50] **an-klagen** to accuse
[51] **bleibt mit einem seiner Holzbeinchen hängen** one of his wooden legs
catches
[52] **der Unglücksfall** mishap

Schließlich geht Faustus in den Hintergrund, wo ein
großes magisches Buch aufgeschlagen auf einem Pult liegt.
Auf halbem Wege bleibt er stehen. Soll er das Studium der
Theologie wirklich aufgeben? Da hört man einen hölli-
5 schen Baß aus den Kulissen,[53]—es ist der des Direktors
Kreuzerle—der dem Doktor rät, die theologischen Bücher
in die Ecke zu werfen und statt dessen die schwarze Magie
zu studieren. Ein himmlischer Sopran—es ist der der Frau
Direktor—warnt Faustus vor der schwarzen Magie, die ihn
10 sein Seelenheil [54] kosten werde. Faustus hört nicht auf den
Sopran, er tut, was ihm der Baß rät. Mit Hilfe eines
Zauberkreises und einiger komplizierter Formeln ruft er
Mephistopheles aus der Hölle und macht mit ihm einen
Pakt. Vierundzwanzig Jahre lang [55] soll Mephistopheles
15 Faustus' ständiger [56] Begleiter sein, soll seinen Wissensdurst stillen, ihm alle Geheimnisse der Philosophie und der
Wissenschaften erklären. Vierundzwanzig Jahre lang soll er
ihm auch zu einem Leben voller Freuden und Abenteuer
verhelfen, wie es noch kein Mensch vor ihm gelebt hat.
20 Dafür darf dann Mephistopheles nach vierundzwanzig
Jahren Faustus' Seele haben. Wolfgang ist tief erschüttert,[57] als Faustus diesen furchtbaren Pakt mit seinem Blut
unterzeichnet.

In der nächsten Szene tritt Hanswurst, Faustus' Diener,
25 auf und wird vom Publikum, das lange auf ihn gewartet
hat, mit lautem Applaus begrüßt. Wolfgang mag den Hanswurst nicht, er findet ihn vulgär. Außerdem stört es ihn,
daß Hanswurst als der Klügere [58] im Stück erscheint, denn
es gelingt ihm,[59] den Mephistopheles mit groben Witzen
an der Nase herumzuführen,[60] während der große Doktor

---

[53] (die Kulisse wing)   [54] (das Seelenheil salvation)
[55] lang for   [56] ständig constant   [57] (erschüttert p.p. moved)
[58] der Klügere the more clever one   [59] es gelingt ihm he succeeds
[60] an der Nase herumzuführen to lead by the nose; to make a fool of

Faustus das Opfer des höllischen Dämons geworden ist.
In der Pause sagt er das seinen Freunden, die ihn aber
nicht verstehen. Sie fragen ihn, ob er glaube, es könne
ein Puppenspiel ohne Clown geben. Wolfgang antwortet
altklug [61] und dogmatisch, daß es nicht richtig sei, 5
im Drama die komischen und tragischen Elemente zu
mischen. Der große französische Dichter und Kritiker
Boileau habe das schon im vorigen [62] Jahrhundert gesagt,
und der [63] müsse es doch wissen.

Inzwischen hat Direktor Kreuzerle hinter der Bühne 10
Faustus' Bein repariert, und seine Frau und Tochter haben
alles für den zweiten Akt zurechtgemacht. Der Vorhang
geht auf, und man sieht einen Hintergrund mit Lorbeer-
büschen,[64] weißen Säulen [65] und zwischen den Säulen
einen wolkenlosen Himmel und ein tiefblaues Meer. 15
„Italien" murmelt der kleine Wolfgang und klatscht vor
Freude in die Hände. Sein Vater hat ihm oft von Italien
erzählt, und zu Hause hängen Bilder von Rom im Vorsaal.
Italien ist für Wolfgang ein Märchenland, wo der Himmel
immer blau ist, und schöne Menschen in Marmorstädten 20
wohnen. Wolfgang sieht den Herzog und die Herzogin von
Parma,[66] deren seidene Gewänder [67] von Gold und Edel-
steinen zu funkeln scheinen. Er denkt: „Wenn ich älter
bin, reise ich nach Italien und komme nie, nie wieder
zurück." 25
Doktor Faustus, sein höllischer Begleiter Mephistopheles
und Hanswurst erscheinen in Italien, wo sie nicht ganz
hinpassen.[68] Der Doktor ist zu melancholisch, der nor-
dische Teufel zu grimmig und der Hanswurst zu grob für

---

[61] altklug precociously [62] vorig last (*i.e. the 17th century*)
[63] der he (*emphatic*) [64] (der Lorbeerbusch laurel-shrub)
[65] (die Säule pillar) [66] Parma *city and duchy in Northern Italy*
[67] (das Gewand gown)
[68] wo sie nicht ganz hinpassen (where they do not quite fit in) where
they are out of place

das sonnige Italien der Renaissance.[69] Faustus unterhält
den Herzog, er zeigt ihm die Geister Simsons, Alexanders
und sogar die blutige Szene der Enthauptung des Holofernes.[70] Die Dummheit und Frechheit des Hanswursts
5 sind aber schließlich dafür [71] verantwortlich, daß Faustus
aus dem Herzogtum gejagt wird. Wolfgang ist traurig, daß
er nun den schönen italienischen Hintergrund nicht mehr
sehen kann.
   Das Stück geht seinem Ende zu. Faustus will als reui-
10 ger [72] Sünder seinen Weg zu Gott zurückfinden. Voll Wut
und Sorge muß Mephistopheles zusehen, wie Doktor
Faustus im Gebet Gott um Vergebung bittet. Aber diese
wertvolle Seele darf dem höllischen Reich nicht verloren
gehen.[73] Pluto selber erscheint und bringt die schöne
15 Helena mit sich, um deretwillen [74] einst die stolze Stadt
Troja unterging. Ihre Schönheit besiegt Faustus' Höllenangst und Himmelssehnsucht. Zum zweiten Male schwört
er seinem Herrn Pluto, Gott zu vergessen und sein treuer
Untertan [75] zu sein. Mit ausgestreckten Armen geht er
20 auf Helena zu—da—eine laute Explosion—die schöne
Griechin verschwindet in einer Rauchwolke, und an ihrer
Stelle erscheint eine höllische Schlange,[76] vor der Faustus
entsetzt [77] flieht. Jetzt ist der große Sünder verloren.
   Die letzte Szene beginnt mit dem Nachtwächterlied des
25 Hanswursts. Ja, der Hanswurst ist Nachtwächter von Wittenberg geworden und hat sich sogar verheiratet. Er
wandert nicht mehr mit seinem gottlosen Herrn in der

[69] Renaissance *a movement characterized by the revival of classical in-*
fluence between the medieval and modern periods, i.e. 14th–16th centuries
[70] Simson Samson, *"the strong man" in the Bible;* Alexander Alexander the
Great, *King of Macedon* (*356–323 B.C.*); Holofernes, *the general of Nebu-*
chadnezzar, slain by Judith.
[71] *s.* #12b   [72] (reuig repentant)
[73] darf nicht verloren gehen must not be lost
[74] um deretwillen for whose sake
[75] (der Untertan subject)   [76] (die Schlange snake)
[77] (entsetzt horrified)

Welt herum, sondern geht nur nachts durch die stillen
Straßen von Wittenberg, und wenn die Bürger der Stadt
sein Liedchen hören, so wissen sie, daß weder Feuer noch
Räuber ihr Leben bedrohen,[78] und schlafen noch einmal so
gut.[79] Faustus erscheint und fleht seinen ehemaligen 5
Diener um Hilfe an.[80] Die freche Antwort des Hanswursts
zeigt die Freude des kleinen Mannes, der zusehen darf,
wie es einem großen Menschen schlecht geht.[81] Zwölf
Glockenschläge ertönen, und unter dem Geheul und
Gekreisch der ganzen Familie Kreuzerle stürzen sich die 10
Teufel mit Doktor Faustus in ein herrlich flackerndes Höllenfeuer. Der Hanswurst erscheint wieder, und nach seinem Nachtwächterlied bläst er ein Trompetenstück, das
Direktor Kreuzerle kürzlich gelernt hat, und das natürlich
gar nicht zu dem Stück paßt.[82] 15
Das Publikum applaudiert, aber Doktor Faustus kann
nicht auf die Bühne kommen. In seiner letzten höchst
dramatischen Szene haben sich seine Fäden [83] mit denen
der Teufel verwickelt.[84] So erscheint der Hanswurst wieder
und bläst das Trompetenstückchen noch einmal. Wieder 20
applaudiert das Publikum und diesmal lauter als zuvor.
Wolfgang applaudiert nicht. Es gefällt ihm nicht,[85] daß
der Hanswurst das letzte Wort hat. Das ganze Ende gefällt
ihm nicht. Warum soll ein großer Mensch wie Faustus verdammt werden und so ein Kerl wie der Hanswurst, nur 25
weil er schlau genug war, den Teufel zu überlisten,[86] bei
Bier und Leberwurst mit seiner Frau Liese ein vergnügtes
Leben führen? Warum, so fragt sich Wolfgang, wird Fau-

---

[78] (bedrohen to threaten)
[79] noch einmal so gut twice as well
[80] (an-flehen to implore)
[81] wie es einem großen Menschen schlecht geht how a great man is in a
bad way
[82] passen to be suitable   [83] (der Faden string)
[84] (sich verwickeln to become snarled)
[85] Es gefällt ihm nicht He doesn't like   [86] überlisten to outwit

stus überhaupt [87] verdammt? Er hat das Studium der Theologie aufgegeben, das ist wahr, aber doch nur weil er in diesem Studium keine Antworten fand auf die großen Fragen,
die ihn quälten.[88] Was hatte er denn von dem höllischen
5 Geist Mephistopheles verlangt? [89] Daß er ihm vierundzwanzig Jahre lang diene, ihm alle verborgenen [90] Künste
und Wissenschaften der Welt entdecke, ihm auf alle Fragen eine Antwort gebe und es ihm möglich mache, ein
Leben voller Freuden und Abenteuer zu führen. Hatte
10 denn [91] Faustus Krieg und Pest über die Welt bringen wollen? War er etwa [92] ein Tyrann wie Nero? [93] Er wollte doch
nur mehr wissen und mehr erleben als andere Menschen.
War denn das eine Sünde? Sollte denn der Mensch immer
in engen Grenzen leben?—Und er muß an den Titanen [94]
15 Prometheus denken, der von Jupiter so furchtbar bestraft
worden war, weil er dem wilden Menschen Feuer und
dadurch Kultur gebracht hatte.

Die Antwort auf diese Fragen konnte der zwölfjährige
Wolfgang noch nicht finden. Viele Jahrzehnte sollten [95]
20 vergehen, bis sie der Dichter Goethe in seinem großen
Drama der ganzen abendländischen Welt gab.

Darf der Mensch die Grenzen überschreiten,[96] die
seinem Wissen und seiner Macht gesetzt sind? Auf diese
Frage hat der abendländische Mensch das ganze Mittel-
25 alter hindurch [97] eine verneinende Antwort gegeben.

In Dantes *Göttlicher Komödie* erzählt Odysseus den
Höllenbesuchern von seiner letzten Fahrt.[98] Wissensdurst

[87] überhaupt at all   [88] quälen to torment
[89] verlangen von to ask of
[90] (verborgen p.p. hidden)
[91] denn *used for emphasis; omit*   [92] etwa perhaps
[93] Nero Roman emperor (54–6) *notorious for his cruelty*
[94] der Titan Titan, *a race of giants in Greek mythology, enemies of the gods*
[95] sollten were to; *s.* #5b
[96] die Grenzen überschreiten to exceed the bounds
[97] (hindurch throughout)   [98] (die Fahrt wandering)

und sein tapferes Herz ließen ihn nicht zu Hause ruhen. Noch als alter Mann machte er eine Entdeckungsfahrt ins westliche Gebiet,[99] über die Meerenge von Gibraltar hinaus.[1] Aber er mußte diese Grenzverletzung [2] mit dem Tode büßen.[3] Nach fünf Monaten auf hoher See sah er 5 einen riesigen Inselberg und wollte voller Freude landen. Dies war aber der Berg des Fegefeuers,[4] und ein Wirbelsturm [5] schickte das Boot des kühnen [6] Seefahrers in die Tiefe.

War die Meerenge von Gibraltar die westliche, so [7] 10 war ein Kap an der Goldküste Afrikas die südliche Grenze, bis zu der dem Menschen des Mittelalters die Seefahrt erlaubt war. Die Portugiesen nannten dies Kap „Kabo Nao", das Kap Nein, denn dies war das große Nein, mit dem Gott dem Menschen alle weiteren Entdeckungsfahr- 15 ten verbot.

Die Menschen der Renaissance fürchteten diese geographischen Schranken nicht, ja sie überschritten die viel stärker bewachten Grenzen, die dem wissenschaftlichen Denken und Forschen im Mittelalter gesetzt waren. Von 20 tiefer Unruhe, von Wissensdurst und Machtwillen getrieben,[8] ohne Furcht vor weltlicher oder geistlicher [9] Autorität, eroberten Renaissancemenschen wie Galilei, Bacon, Copernikus, Vesalius [10] neue Kontinente der Wissenschaften, ja die Natur selbst. 25

[99] das Gebiet territory   [1] hinaus beyond
[2] die Grenzverletzung violation of boundaries
[3] (büßen to atone for)   [4] (das Fegefeuer purgatory)
[5] (der Wirbelsturm cyclone)   [6] kühn daring
[7] War die Meerenge . . . , so . . . If the Straits . . . were . . . , then . . . ; s. #8a
[8] *Begin with the past participle* getrieben: Spurred on . . .
[9] geistlich ecclesiastical
[10] Galilei Galileo *Italian physicist* (1564–1642); *discovered movement of the earth.* Bacon *English philosopher* (1561–1616); *emphasized experimental method of science.* Copernikus Copernicus *Polish astronomer* (1473–1543); *discovered that earth turns around sun.* Vesalius *Belgian physician* (1514–1564); *founder of modern anatomy.*

Es war mittelalterliches Denken, scholastischer Autori-
tätsglaube, der den Arzt Blondus noch im 16. Jahrhundert
sagen ließ: [11] Es ist ehrenwerter, mit Galenus und Avicenna [12] zu irren, als mit anderen recht zu haben.

5 Es war Renaissance-Denken und „faustischer Geist",
wenn Blondus' Zeitgenosse Paracelsus [13] bei seiner Antrittsvorlesung [14] an der Universität Basel einen großen
Haufen medizinischer Lehrbücher, darunter auch Werke
Galens und Avicennas, verbrannte.

10 Was wir als die Großtaten des Renaissance-Geistes
feiern, die Entdeckung des Sonnensystems, die Entdek-
kung ferner Kontinente, die Wiederentdeckung der Antike,
die Erfindung des Buchdrucks, des Teleskops usw., das
begeisterte auch den Menschen der Renaissance. Der Hu-
15 manist [15] Hutten schrieb in einem Brief an einen gelehrten
Freund: „O Säkulum,[16] o Wissenschaften! Die Geister
erwachen, es ist eine Lust zu leben." Demgegenüber
steht [17] aber die mittelalterliche Auffassung,[18] die all diese
großen Leistungen als Teufelswerk betrachtete. Das große
20 Symbol dieser Denkart ist die Faustsage in ihrer älteren
Form.

In der doppelten Bewertung des menschlichen Fort-
schrittes seit den Tagen der Renaissance liegt der Grund
für die doppelte Entwicklung der Faustsage, die mit
25 Faustus' ewiger Verdammnis oder seiner Erlösung endete.
Der historische Faust, der Zeitgenosse Luthers, war ein

[11] ließ caused
[12] Galenus Galen *famous Greek physician* (130–200); Avicenna *Arabian
physician and philosopher* (980–1037); *recognized by medieval church
with Galen as medical authority*
[13] Paracelsus *Swiss alchemist and physician* (1493–1541)
[14] (die Antrittsvorlesung inaugural lecture)
[15] der Humanist humanist, *a member of the movement called Humanism
which during the Renaissance emphasized Greek and Roman classics*
[16] (das Säkulum century)
[17] Demgegenüber steht Opposite to that is
[18] die Auffassung concept

recht zweifelhafter Charakter, teils Gelehrter, teils Scharlatan, teils Betrüger. Aber die Phantasie des Volkes machte ihn zum Vertreter des [19] alle Grenzen niederbrechenden Titanen,[19] der seine Erfolge dem Teufel zu verdanken hatte und am Ende dem Teufel seine Seele lassen muß, zum 5 Lohne für dessen [20] Dienste. Mephistopheles, so lesen wir in dem Volksbuch [21] vom Doktor Faustus, das 1587 in Frankfurt am Main erschien, zeigte seinem Herrn alle Geheimnisse [22] der Erde und des Universums, erfüllte alle seine Wünsche, so daß er ein herrliches Leben auf Erden 10 führen konnte; rief schließlich sogar die schöne Helena aus der Unterwelt, um [23] sie Faustus zur Geliebten zu geben. Zu spät erkannte Faustus am Ende seines Sündenlebens, wie furchtbar der Preis war. Nachdem er seine Studenten bei dem letzten Bankett vor der Magie und 15 allen unchristlichen Gedanken gewarnt hatte, zerriß ihn der Teufel und brachte diese wertvolle Seele in die Hölle.

So erscheint Faust in den Volksbüchern, so im Drama Marlowes und in den Puppenspielen, die sich bis heute erhalten [24] haben. 20

Goethe war nicht der einzige, der den Gedanken faßte,[25] den Faust zum Symbol des abendländischen Menschen, ja des Menschen überhaupt [26] zu machen, und ihn Erlösung finden zu lassen. Sein Werk überragt [27] aber an Gedankentiefe und dichterischer Schönheit alle vorher- 25 gehenden und folgenden Faustdichtungen so sehr, daß sie mit Ausnahme von Gounods [28] Oper heute fast vergessen

---

[19] *Read:* des Titanen, der alle Grenzen niederbricht of the Titan who breaks down all boundaries; *s.* #10a
[20] dessen the latter's   [21] das Volksbuch chapbook
[22] das Geheimnis secret
[23] um . . . zu geben in order to give; *s.* #14c
[24] sich erhalten to be preserved
[25] (den Gedanken faßte seized upon the idea)
[26] überhaupt in general   [27] überragen to surpass
[28] Gounod *French composer* (1818–1893)

sind. Goethes Drama als das Drama von der Erlösung des
Menschen, der Selbsterlösung des Menschen, steht in
seinem Symbolwert neben solchen Werken wie Dantes
Göttlicher Komödie und Shakespeares *Hamlet.*

5   Die äußere Anregung,[29] ein Faustdrama zu schreiben,
kam Goethe von dem Puppenspiel. In seiner Lebensbeschreibung *Dichtung und Wahrheit* [30] sagte er mit Bezug [31]
auf die Straßburger Zeit (1770), daß die Puppenspielfabel
ihm immer durch den Kopf gehe.[32]

10 Auch die dramatische Anordnung des Stoffes zeigt diesen Einfluß, denn die großen Linien der Handlung, die
Goethe nie verändert hat, stimmen mit denen [33] des Puppenspiels überein: Vorspiel—einführender [34] Monolog—
Bruch mit der Vergangenheit und Pakt mit der Hölle—
15 Fausts „Sündenleben", d.h. seine Reisen mit Mephistopheles, die einen Aufenthalt in der Welt des Hofes und
im klassischen Süden einschließen—Helena-Episode—
letzter Monolog—Tod und Beginn des jenseitigen Lebens.

Im Vorspiel des vollendeten Werkes sehen wir aber
20 sofort, wie Goethe die Faustsage aus der mittelalterlichen
Welt in die moderne hebt. Sein Vorspiel beginnt nicht in
der Hölle, sondern im Himmel, und wir haben von Anfang
an die Gewißheit, daß eine Seele wie die [35] Fausts nicht
verloren gehen kann.[36] Der Herr der himmlischen Heer-
25 scharen [37] sagt im Prolog, in dem der Teufel mit Gott über
den Wert der Menschenseele streitet: [38]

[29] die Anregung stimulus
[30] *Dichtung und Wahrheit Truth and Fiction*
[31] mit Bezug auf with regard to
[32] ihm durch den Kopf gehe he was thinking . . . of
[33] denen those   [34] einführend introductory   [35] die that
[36] nicht verloren gehen kann cannot get lost
[37] (Der Herr der himmlischen Heerscharen The Lord of the heavenly hosts)
[38] streiten to quarrel

Ein guter Mensch in seinem dunklen Drange [39]
Ist sich des rechten Weges wohl bewußt.

Der Adel der Menschenseele besteht bei Goethe gerade in
diesem dunklen Drange, der ihn aber auch der Gefahr
aussetzt, schuldig zu werden und zu irren.   5
Der Herr des Vorspiels ist bei Goethe natürlich ebensowenig der Jehova des Alten Testaments wie Mephistopheles der Teufel der christlichen Überlieferung [40] ist.
Der Herr ist das dichterische Symbol für den Sinn des
Lebens, der menschlichen Entwicklung, der Kultur, deren 10
tiefste Bedeutung sich dem Menschen nur in einer höheren
Welt offenbaren [41] kann, von der Dichter und Propheten
in Bildern und Symbolen sprechen. Mephistopheles ist der
Geist der Verneinung, der Skepsis, der zynischen Kritik.
Sein Hohn [42] ist immer da am schärfsten, wo warmherziger 15
menschlicher Idealismus die Wirklichkeit aus den Augen
verliert [43] und sich in leeren Spekulationen den Himmel
auf Erden erschaffen will. Aber auch dieser negative Geist
ist nur ein Mittel zur höheren Entwicklung des Menschen,
denn gerade dadurch, daß [44] er den Idealisten Faust in 20
den Staub zu ziehen versucht, zwingt er ihn, seine frucht-
losen Spekulationen aufzugeben und den Mittelweg
zwischen unfruchtbarem Idealismus und zynischem Ma-
terialismus zu finden, d.h. den Weg des Lebens zu gehen,
den Goethe für den wahrhaft menschlichen hielt.[45]   25
   Im Puppenspiel und Volksbuch verflucht [46] Doktor
Faustus am Ende sein Leben und schreit in verzweifelter
Angst zu einem Gott, der seinen Bund mit der Hölle nicht
vergeben kann. Goethes Faust hat nach allem leidenschaft-

---

[39] der **Drang** urge   [40] die **Überlieferung** tradition
[41] (sich **offenbaren** to reveal itself)   [42] (der **Hohn** sarcasm)
[43] **aus den Augen verliert** loses sight of   [44] **dadurch, daß** because
[45] **halten für** to consider   [46] (**verfluchen** to curse)

lichem [47] Experimentieren mit Möglichkeiten menschlicher Existenz schließlich den Weg zu einer [48] der Gemeinschaft nützlichen Lebensform [48] gefunden. Es war für manchen Romantiker eine schwere Enttäuschung,[49] 5 daß Faust, der titanische Denker, der leidenschaftliche Liebende, der gewandte Hofmann,[50] der Befreier Helenas, am Ende des Dramas ein sozial gesinnter [51] Landbesitzer und Wasserbauingenieur wird. Bis zu seiner Todesstunde ist Faust rastlos tätig, denn die Sehnsucht seiner Seele, der 10 dunkle Drang, findet nie Befriedigung. Eine Vision des freien kräftigen Volkes, das sich auf seinem [52] dem Meere abgerungenen Lande [52] angesiedelt hat, beglückt den sterbenden Faust Goethes.

Das neunzehnte Jahrhundert hat großes Interesse für 15 Goethes *Faust* gezeigt, wenn es auch [53] dies philosophische Werk nicht immer richtig verstand. Es ist verständlich, daß die Goethe-Gelehrten das riesige Werk zum Gegenstand tausender gelehrter Bücher und Abhandlungen [54] machten. Daß manche dieser Philologen das große 20 Werk mißverstanden, wie der pedantische Wagner seinen Herrn, läßt sich verstehen.[55]

Die deutsche Bühne hat sich nur um den ersten Teil gekümmert, weil die Rollen Mephistos und Gretchens große Schauspieler und Schauspielerinnen anzogen.[56] 25 Fausts Anteil an dem Drama wurde oft so gekürzt, daß

---

[47] **leidenschaftlich** passionate, ardent
[48] *Read:* **einer Lebensform, die der Gemeinschaft nützlich ist** a form of life which is useful to the community; *s.* #10d
[49] die **Enttäuschung** disappointment   [50] (der **Hofmann** courtier)
[51] (**gesinnt** minded)
[52] *Read:* **auf seinem Lande, das er dem Meere abgerungen hat** (wrested from); *s.* #10c
[53] **wenn auch** even though   [54] die **Abhandlung** treatise
[55] **läßt sich verstehen** is understandable
[56] (**an-ziehen** *here* to attract)

der Name des Stückes „Mephisto" oder „Gretchen" hätte sein können.[57]

Am weitesten entfernt [58] vom Geiste des Goetheschen Werkes sind die Faustopern. Hier wurde der Symbolgehalt des Werkes ganz vernachlässigt. Daß das Faustdrama das 5 Drama des abendländischen Menschen seit der Renaissance, das Drama des Menschen als solchen, ist, würde man aus den Musikdramen Berlioz' [59] und Gounods nie erraten. Deren Librettisten waren so vollkommen von der Gretchentragödie im Faustdrama fasziniert, daß Faust, der 10 Denker und Vertreter des rastlos strebenden Menschen, fast ganz vergessen wurde und nur Faust, der Verführer [60] Gretchens, übrig blieb. Außerdem ist die Oper des neunzehnten Jahrhunderts viel zu barock, um die einfachen und zarten Gefühle einer jungen Liebe wie der [61] Gret- 15 chens darstellen zu können. Nur im Volkslied kann man die Süße, Innigkeit [62] und Schlichtheit finden, die die Liebesszenen in Goethes *Faust* so einzigartig machen. Daß der Faust der Oper vom Teufel geholt wird, ist verständlich, denn es ist eine Regel der Oper, daß Tenöre, die 20 den Sopran verführen, bestraft werden müssen. Gounods Oper hat Goethes *Faust* außerhalb Deutschlands bekannter gemacht. Fragt man [63] aber einen Laien, ob er Goethes *Faust* kenne, so erhält man meistens eine Antwort, die sich auf die Liebesgeschichte zwischen Faust 25 und „Marguerite", also auf Gounods *Faust*, bezieht.[64]

Hier könnten wir schließen. Die Vitalität des Faustsymboles läßt sich an vielen Beispielen deutscher und nicht-

---

[57] hätte sein können could have been; s. #6f
[58] Am weitesten entfernt Farthest removed
[59] Berlioz *French composer* (1803–1869)
[60] (der Verführer seducer)   [61] der that
[62] (die Innigkeit sincerity)   [63] fragt man s. #8a
[64] sich beziehen auf to refer to

deutscher Literatur nachweisen,[65] und ein tröstlicher Ausblick auf das Fortbestehen menschlicher Kultur wäre wohl möglich. Wenn wir Goethes Faust als Symbol des Menschen betrachten, was wir in Goethes Sinne dürfen, so sagt

5 uns der Dichter, daß des Menschen dunkler Drang zu seiner endlichen Erlösung führen wird. Trotz aller Schuld und aller Irrtümer, trotz Kriege, Revolutionen und aller Scheußlichkeiten,[66] die der Mensch auf dem Gewissen [67] hat, am Ende wird er gerettet. Aber sind wir dessen so

10 sicher? Der Pessimismus der modernen Literatur, die Zweifel des modernen Menschen an sich selbst und an seinem Geschick [68] zeigen, daß die optimistische Botschaft [69] in Goethes *Faust* heute oft nicht angenommen wird. Goethes Mephisto vergleicht die Anstrengungen [70]

15 des immer strebenden Menschen mit den sinnlosen Sprüngen einer Zikade,[71]

> Die immer fliegt und fliegend springt
> Und gleich [72] im Gras ihr altes Liedchen singt.

Ähnliches [73] schreiben unsere modernen Dichter auch. Nur

20 ein Beispiel von vielen sei erwähnt,[74] da es die moderne Parallele zu Mephistopheles' pessimistischem Bild vom Menschen und seiner Geschichte ist. Es stammt aus Samuel Hoffensteins Gedicht „Apostrophe to a Flea"

25
> Like yourself, oh agile flea
> I hop and skip incessantly
> From arid here to barren there
> Leaving a zigzag track of air.

---

[65] läßt sich nachweisen can be shown; s. #3a
[66] (die Scheußlichkeit atrocity)   [67] das Gewissen conscience
[68] das Geschick fate   [69] die Botschaft message
[70] die Anstrengung effort   [71] (die Zikade cricket)
[72] (gleich as before)   [73] Ähnliches In a similar vein
[74] sei erwähnt shall be mentioned; s. #6a

Da sieht es beinahe aus, als ob das alte Puppenspiel uns
näher stünde [75] als Goethes *Faust*, d.h. natürlich, wenn wir
diesen pessimistischen Stimmen glauben wollen, die die
abendländische Kultur für den größten Irrtum der Mensch-
heit halten.   5
Der faustische Mensch hat sich die Welt, ja die Natur
unterworfen,[76] aber nun kehren sich [77] die Dämonen der
Finsternis gegen ihn, und am Rande [78] des glühenden
Abgrundes [79] schreit er verzweifelt nach Rettung vor einer
Hölle, die er in seinen Laboratorien selbst geschaffen hat. 10
Aber wer soll ihn retten? Der Gott, an den er nicht glaubt,
oder die Natur, die er zur Sklavin erniedrigt hat?
Die Zukunft wird entscheiden,[80] ob Goethes *Faust* nur
den Optimismus der abendländischen bürgerlichen Kultur
ausdrückte, die mit der Renaissance begann und vielleicht 15
in den Weltkriegen des 20. Jahrhunderts ihr Ende fand,
oder ob auch kommenden Generationen der Gesang der
Engel am Ende des Dramas bedeutungsvoll klingt:

> Wer immer strebend sich bemüht,
> Den können wir erlösen.[81]   20

EXERCISES

A. Questions

1. Wo wird das Puppenspiel vom Doktor Faustus aufgeführt?
2. Wie kann der junge Goethe wissen, daß der Spruch auf
   dem Vorhang nicht bei Horaz zu finden ist?
3. In welcher Form erscheint Mephistopheles auf der Bühne?
4. Was ist Doktor Faustus zu Beginn des Puppenspiels?

[75] stünde *subjunctive of* stehen
[76] (sich **unterwerfen** to enslave)   [77] sich **kehren** to turn
[78] der **Rand** edge   [79] (der **Abgrund** abyss)
[80] **entscheiden** to decide
[81] "Who ever aspiring, struggles on, For him there is salvation." (G. M.
Priest)

5. Was tun die Bürger Frankfurts oft an Sonn- und Feiertagen?
6. Warum versteht Wolfgang den kleinen Unglücksfall auf der Puppenbühne so gut?
7. Was soll Mephistopheles für Faustus tun?
8. Was hat Wolfgang von dem großen französischen Kritiker Boileau gelernt?
9. Woher kennt Wolfgang Italien?
10. Wie gelingt es Pluto noch in der letzten Stunde, den reuigen Sünder Faustus zurückzugewinnen?
11. Wie kommt das Trompetenstück in das Puppenspiel vom Doktor Faustus?
12. Warum gefällt Wolfgang das Ende des Puppenspieles nicht?
13. Warum konnte sich das naturwissenschaftliche Denken im Mittelalter nicht entwickeln?
14. Woran dachte der Humanist Hutten, als er an seinen Freund schrieb: „Die Geister erwachen, es ist eine Lust zu leben"?
15. Wie endet das Leben des Goetheschen Faust?
16. Warum weiß man wenig von Goethes *Faust*, wenn man nur die Faustopern kennt?
17. Warum kann Faust in Goethes Drama gerettet werden?

B. Vocabulary Review

1. die Kunst	16. das Geheimnis
2. der Dienst	17. das Mittel
3. das Reich	18. der Mittelweg
4. der Wert	19. das Wissen
5. die Sorge	20. die Wissenschaft
6 die Reihe	21. der Gegenstand
7 die Ausnahme	22. das Gebiet
8 die Grenze	23. die Vergangenheit
9 der Fortschritt	24. die Wirklichkeit
10. der Vertreter	25. die Vorstellung
11. die Regel	26. die Bedeutung
12. die Gefahr	27. die Überlieferung
13. der Vorhang	28. die Entwicklung
14. der Anfang	29. die Leistung
15. das Abenteuer	30. die Erfindung

31. das Rätsel
32. raten
33. entdecken
34. die Entdeckung
35. dienen
36. schicken
37. klingen
38. rufen
39. verlangen
40. vergleichen
41. verwandeln
42. verschwinden
43. erobern
44. erraten
45. erscheinen
46. entscheiden
47. betrachten
48. zerreißen
49. gelingen
50. gefallen
51. ausdrücken
52. einschließen
53. zusehen
54. unterbrechen
55. unterzeichnen
56. unterhalten
57. sich unterhalten
58. möglich
59. die Möglichkeit
60. kräftig

61. riesig
62. tätig
63. einzigartig
64. wirklich
65. ähnlich
66. bürgerlich
67. wahrhaft
68. zweifelhaft
69. treu
70. tapfer
71. sonderbar
72. mehrere
73. ebensowenig
74. hauptsächlich
75. bis
76. vielleicht
77. beinahe
78. sofort
79. also
80. sogar
81. überhaupt
82. schließlich
83. besonders
84. außerdem
85. nie
86. kürzlich
87. noch einmal
88. halten für
89. sich beziehen auf
90. in Bezug auf

C. Practice Sentences

1. Da war nichts zu tun.
2. Das darf nicht sein.
3. Der Szenen in der Hölle wegen durfte das Puppenspiel in manchen Städten nicht aufgeführt werden.
4. Es hat mir nie gefallen, daß er sich nicht um seine Familie kümmerte.
5. Liest man die alten Geschichten vom Doktor Faustus, so versteht man besser, wie groß die dichterische und phi-

losophische Leistung Goethes war, dem es gelang, aus diesem Stoff ein großes dichterisches Symbol für die abendländische Menschheit zu machen.

6. Es läßt sich leicht zeigen, daß das alte Puppenspiel in ganz Deutschland bekannt war.

7. Es sieht so aus, als ob die französischen Librettisten nur den ersten Teil von Goethes Faust gelesen hätten.

8. In diesem auch auf deutschen Bühnen oft aufgeführten Stück des französischen Philosophen Sartre erscheint der Pessimismus des modernen Europäers.

9. Der Einfluß des alten Puppenspieles läßt sich an einigen Stellen des Goetheschen Dramas klar erkennen.

10. Das Faustmotiv lebte im neunzehnten und zwanzigsten Jahrhundert in Kunstwerken weiter, die sich aber oft sehr weit vom Goetheschen Geiste entfernten.

✤ 3 ✤

SCHLIEMANN

Der Entdecker Trojas [1]

Die Wiederentdeckung des klassischen Altertums, die wir Renaissance nennen, begann mit der Wiederentdeckung römischer Kunst und römischer Literatur. Die eigentliche [2] Entdeckung der griechischen Kultur kam erst [3] später. Erst von der Mitte des achtzehnten Jahrhunderts an kann von einer griechischen Renaissance in Europa gesprochen werden. [4] War [5] Rom verehrt worden, so wurde Athen vergöttert. [6] Bei [7] den meisten gebildeten Europäern galt [8] die griechische Kultur bis tief ins neunzehnte Jahrhundert hinein als d i e [9] Kultur, und die eigene Kultur wurde oft für minderwertig, [10] ja barbarisch gehalten.

In keinem Land aber ist die griechische Kultur so aus tiefster Seele geliebt worden wie in Deutschland. In seinem Drama *Iphigenie* [11] zeigt Goethe die griechische Königstochter im Barbarenland am Meeresufer sitzend, „das

---

[1] (das) Troja Troy, *ancient ruined city in NW Asia Minor*
[2] eigentlich actual   [3] erst not until
[4] kann gesprochen werden can we speak   [5] *s.* #8a
[6] (vergöttern to worship)
[7] bei *here* among (*Remember also the following meanings of* bei: near, at; with, *in the case of*)
[8] gelten als to be looked upon as
[9] *In German printing, emphasis may be indicated by spacing*
[10] minderwertig inferior
[11] Iphigenia (*Greek Mythology*) *was offered by her father Agamemnon as a sacrifice to Artemis, who saved her and made her a priestess*

Land der Griechen mit der Seele suchend." Dies vielzitierte
Wort ist der schönste Ausdruck für die Sehnsucht nach
dem alten Griechenland, die Goethe, seine Zeitgenossen
und spätere Generationen empfanden.[12] Das große dich-
5 terische Symbol für den Versuch deutscher Dichter und
Denker, die deutsche Kultur mit der griechischen zu vermählen,[13] ist der Liebesbund Fausts mit der schönen Helena in Goethes Drama *Faust*. Goethe wußte jedoch,[14]
daß auch die größte Liebe das Vergangene [15] nicht wieder
10 lebendig machen kann. Helena geht aus Fausts Armen, die
nur ihr Gewand festhalten, in die Unterwelt [16] zurück.
Der Geist der griechischen Kultur ist dahin,[17] nur seine
äußeren Formen hat er uns hinterlassen. Trotzdem be-
schworen [18] viele große deutsche Dichter und Philosophen
15 den Geist der Griechen immer von neuem. Hölderlin,
Heine, Nietzsche, um nur ein paar große Namen des neunzehnten Jahrhunderts zu nennen, hätten mit Stefan George,
einem Dichter des zwanzigsten Jahrhunderts, ausrufen
können: „Hellas ewig unsre Liebe!" [19]
20   Dieses eigenartige [20] Phänomen der Griechenliebe und
Griechensehnsucht muß man im Auge behalten,[21] will
man [22] das Lebenswerk Heinrich Schliemanns, eines der
seltsamsten Genies des [23] an seltsamen Genies reichen
neunzehnten Jahrhunderts,[23] in seinen kulturellen und
25 menschlichen Beziehungen [24] richtig verstehen.
    Was ist ein Genie? Manche sagen, Genie sei [25] nichts als

---

[12] empfinden to experience   [13] (vermählen to wed)
[14] jedoch however
[15] das Vergangene that which has passed; s. #13b
[16] (die Unterwelt lower regions, Hades)   [17] dahin gone, lost
[18] (beschwören to conjure up)
[19] "We pledge our undying love to Greece!"   [20] eigenartig peculiar
[21] etwas im Auge behalten to keep in mind   [22] s. #8b
[23] *Read:* des neunzehnten Jahrhunderts, das reich an seltsamen Genies
ist; s. #10d
[24] die Beziehung relation   [25] s. #6g

ungeheure Energie; andere wiederum betonen die natür-
liche Begabung, die das Genie gewöhnlich schon in früher
Jugend zeige. Ein Genie werde also geboren und nicht
gemacht. All das gilt [26] auch von Schliemann. Auch daß
viele Genies etwas von einem Don Quijote [27] an sich haben, 5
läßt sich [28] bei Schliemann leicht nachweisen. Wie der
edle [29] Ritter Don Quijote Idee und Wirklichkeit miteinander verwechselte und dem Phantom einer vergangenen
Zeit nachjagte, so folgte auch Schliemann seinen Ideen,
unbekümmert [30] um die Wirklichkeit, die ihnen oft genug 10
widersprach. Wie sein spanischer Vorgänger erntete [31]
auch er den Spott der „Normalen". Aber hier hört der
Vergleich auf. Schliemann war zwar von phantastischen
Ideen beseelt, aber er hat Ungeheures geleistet. Sein Werk
hat die archäologische Wissenschaft gewaltig bereichert 15
und wird in seiner rein menschlichen Größe unvergessen
bleiben, solange unsere Kultur und unsere Bewertung
menschlicher Leistungen bestehen.

Schliemanns Lebenstraum begann, als er acht Jahre alt
war. Weihnachten 1830 schenkte ihm sein Vater, ein Klein- 20
stadtgeistlicher,[32] eine illustrierte Weltgeschichte für
Kinder, und darin las der kleine Heinrich die uralte Geschichte vom Untergang Trojas. Ein Bild zeigte die bren-
nende Königsburg und einen Teil der gewaltigen Stadt-
mauern. Schliemann fragte seinen Vater, wo die Stadt 25
Troja gelegen hätte, und sein Vater gab ihm eine Antwort,
die ihm damals die meisten gebildeten Europäer gegeben
hätten,[33] daß Troja nur eine Sagenstadt sei. Heinrich
glaubte seinem Vater nicht. Seine kindliche Phantasie

---

[26] gilt von applies to
[27] Don Quijote *hero of Cervantes' 17th century romance*   [28] *s.* #3a
[29] edel (*inflected form* edl-) noble   [30] (unbekümmert unconcerned)
[31] ernten to harvest; *here* earn
[32] (der Kleinstadtgeistliche small-town clergyman)
[33] gegeben hätten would have given; *s.* #6d

wußte es besser. Damals war es, daß er den Entschluß
faßte,[34] die Stadt Troja zu finden, und er teilte diesen Entschluß seiner Familie mit: [35] „Ich werde die Stadt Troja
ausgraben, wenn ich groß und reich bin."

5 Daß Kinder auch gegen den Widerspruch der Erwach-
senen an einer phantastischen Idee festhalten, ist eine be-
kannte psychologische Tatsache. Europäische Jungen, die
Coopers „Lederstrumpf" lasen, glaubten z.B. fest daran,
daß Amerika noch im 20. Jahrhundert das Land der büffel-
10 jagenden und trapperskalpierenden Indianer wäre. Solche
jugendliche Träume verblassen [36] aber mit zunehmendem
Alter [37] und werden dann durch wirklichkeitsnähere Vorstellungen [38] ersetzt. Nicht so bei Schliemann! Wie viele
Genies verlor auch er nie seine kindliche Erlebnisweise
15 und Erlebniskraft.[39]

Dies eine große Erlebnis aus der Weihnachtszeit von
1830 sollte seinem ganzen späteren Denken eine bestimmte Richtung geben. Was er beim Lesen [40] seines
Kinderbuches erlebt hatte, erlebte er beim Lesen der
20 ganzen sagenhaften Überlieferung der griechischen Literatur. Was Homer oder die Tragödiendichter zu sagen
hatten, war ihm nicht dichterische Erfindung, sondern geschichtliche Wahrheit, und es galt [41] nun, mit dem Spaten
des Archäologen den Beweis dafür im Boden Kleinasiens
25 und Griechenlands zu finden.

Natürlich wäre diese große Illusion nicht möglich gewesen ohne die Griechenverehrung und das im neunzehnten Jahrhundert noch fast unerschütterte [42] Prestige der

[34] den Entschluß faßte (formed the resolution) resolved
[35] mit-teilen to inform of   [36] verblassen to fade away
[37] mit zunehmendem Alter (with increasing age) as one grows older
[38] (wirklichkeitsnähere Vorstellungen ideas which come closer to reality)
[39] Erlebnisweise und Erlebniskraft way and intensity of experiencing
[40] beim Lesen while reading
[41] es galt (inf. gelten) it was a matter of
[42] (unerschüttert unshaken)

griechischen Kultur. Zu alledem kommen noch [43] das Interesse für Geschichte und der Glaube an die Naturwissenschaft als Faktoren, die den Geist Schliemanns genau so stark beeinflußten wie der Glaube an das versunkene Kulturparadies der Griechen. Und Schliemann war ein 5 Realist. Trotz seines Lebenstraumes war er ein ziemlich nüchterner [44] Mensch, dem Dichtung als solche unverständlich war. Nur so konnte er ja glauben, daß Homer Geschichte in Hexametern geschrieben hätte. Sein Realismus zeigt sich auch in der planmäßigen Art, mit der er 10 später an der Verwirklichung seines Lebenstraumes arbeitete.

Archäologen brauchen Geld, und daß er bei seinen unorthodoxen Plänen nicht auf die Unterstützung [45] irgendeiner Regierung hoffen konnte, sondern sein eigenes Kapi- 15 tal erwerben mußte, wußte er. Archäologen brauchen aber auch klassische Bildung, und so begann er denn, wie jeder andere deutsche Junge, dessen zukünftiger Beruf höhere Bildung verlangt, das humanistische Gymnasium zu besuchen.[46]　　　　　　　　　　　　　　　　　　　　20

Am Anfang war ihm aber das Schicksal nicht günstig. Sein Vater hatte seine Stellung als Geistlicher verloren, was zur Folge hatte, daß [47] Heinrich die Schule verlassen mußte. Fünf Jahr lang arbeitete der hochbegabte Junge, homerische Träume im Herzen, als Lehrling in einem 25 kleinen Geschäft. Die einzige lebendige Verbindung mit seiner Traumwelt war ein alter Mann, der einst das Gymnasium besucht hatte, und der nach ein paar Gläsern Schnaps homerische Verse rezitierte, an die er sich von seiner

[43] **Zu alledem kommen noch** To all that should be added
[44] **nüchtern** sober　　　　[45] **die Unterstützung** support
[46] **das humanistische Gymnasium zu besuchen** to attend a (German) humanistic Gymnasium, *a secondary school where education in the Classics is emphasized*
[47] **was zur Folge hatte, daß** as a consequence of which

Schulzeit her noch erinnerte. Ohne ein Wort davon zu verstehen,[48] genoß [49] Heinrich den Klang der homerischen
Hexameter, und sein Verlangen, aus dem Kleinstadtelend
und der Kleinstadtenge herauszukommen, wurde immer
5 stärker.[50] Schließlich hatte er genug Geld zusammen, um
an Auswanderung denken zu können. Als Schiffsjunge an
Bord eines nach Venezuela bestimmten [51] Schiffes verließ
er Deutschland, das er nur gelegentlich und dann als stein-
reicher Mann und gefeierte Berühmtheit wiedersehen
10 sollte. Nahe der holländischen Küste scheiterte [52] das
Schiff, und Schliemann wurde bewußtlos und aus schweren
Wunden blutend am Strande gefunden. Der Lebenswille
und die ungeheure Energie, die er sein ganzes Leben lang
besaß, hatten es dem verhältnismäßig schwächlichen
15 Jungen möglich gemacht, sich zu retten. Im Armenkrankenhaus von Amsterdam kam sein erster Ausflug [53] in
die Welt zu einem traurigen Ende.

Von diesem Tiefpunkt an begann Schliemanns märchen-
hafter Aufstieg. Zunächst erhielt er eine Stelle als Lauf-
20 junge in einem holländischen Geschäftshaus. Der mittel-
lose Neunzehnjährige erkannte sofort, daß die Kenntnis
von Fremdsprachen für den Geschäftsmann und für den
Archäologen unbedingt nötig war. Mit einer Energie,
die genau so ungeheuer war wie sein Gedächtnis,[54] lernte
25 Schliemann Englisch, Holländisch, Französisch, Spanisch,
Portugiesisch und Italienisch. Hier, wie bei anderen
Fremdsprachen, die er später erlernte, benutzte er seine
eigene, höchst originelle Methode. Er lernte ein Buch in
der Fremdsprache auswendig—zwanzig Seiten täglich—

---

[48] Ohne zu verstehen Without understanding; s. #14b
[49] genießen to enjoy thoroughly
[50] immer stärker stronger and stronger   [51] bestimmten bound
[52] (scheitern run aground)   [53] der Ausflug excursion
[54] das Gedächtnis memory

und dann schrieb er Aufsätze, die er sich von einem Lehrer korrigieren ließ,[55] der die Fremdsprache als Muttersprache gelernt hatte. Um z.b. Englisch zu lernen, lernte er Goldsmiths *Vicar of Wakefield* und Scotts *Ivanhoe* auswendig.

Schon nach zwei Jahren war Schliemann Buchhalter und Korrespondent einer großen Amsterdamer Firma. Da diese Firma Geschäftsbeziehungen zu Rußland hatte, lernte er Russisch und wurde von seiner Firma als deren [56] Vertreter nach Rußland geschickt. Es dauerte [57] nicht lange, und Schliemann begann in Rußland sein eigenes Geschäft. Elf Jahre lang lebte er dort und verdiente [58] sich als Großkaufmann im Indigohandel ein gewaltiges Vermögen.[59] Er wurde russischer Bürger und heiratete eine Russin aus guter Familie. In Rußland lernte Schliemann Neugriechisch und dann Altgriechisch. Seine Tagebucheintragungen schrieb er von jetzt an fast nur auf altgriechisch, und es ist ein seltsamer Anblick, geschäftliche Dinge in homerischem Griechisch beschrieben zu sehen.

Während eines Aufenthaltes [60] in den Vereinigten Staaten wurde er amerikanischer Bürger und vermehrte sein großes Vermögen durch geschickte Goldspekulationen. Immer weniger kümmerte er sich jetzt um sein Geschäft, statt dessen versuchte er, sich durch das Studium der Archäologie in Paris auf seinen neuen Beruf,[61] den Beruf des Archäologen, vorzubereiten.

Im Alter von einundvierzig Jahren zog er sich ganz vom Geschäftsleben zurück, um [62] bis an das Ende seines Lebens die homerische Welt mit viel Schaufelarbeit, genia-

[55] **die er sich von einem Lehrer korrigieren ließ** which he had corrected by a teacher; *s.* #3b
[56] **deren** its, the latter's   [57] **dauern** to last, take
[58] **verdienen** to deserve; *here* earn   [59] **das Vermögen** fortune
[60] **der Aufenthalt** stay   [61] **der Beruf** profession   [62] *s.* #14c

lem [63] Verständnis und lückenhafter Vorbildung [64] im Schutt [65] der Jahrhunderte zu suchen.

Seine russische Frau war aber nicht gewillt, Rußland zu verlassen, und ließ sich von ihm scheiden.[66] Nun verheira-
5 tete sich Schliemann wieder, und diese Heirat war für ihn ein wahrhaft glückbringender „Fund", obwohl die Werbung [67] auf eine höchst groteske Weise geschah. Schliemann bat einen griechischen Priester, der ihm Sprachunterricht gegeben hatte, ihm ein junges Griechenmädchen
10 von guter Bildung, edler Gesinnung [68] und aufrichtiger Liebe für das klassische Altertum auszuwählen. Der Priester wählte Sophia, und nachdem Schliemann das siebzehnjährige Mädchen gründlich in Homer geprüft hatte, verheiratete er sich mit ihr. Er hätte für seine Lebensweise
15 keine bessere Frau finden können.[69] Sophia liebte ihren Gatten [70] nicht nur, sie war ihm auch eine treue und äußerst fähige Helferin bei seiner Arbeit.

Nun begann Schliemann, von seiner Frau begleitet, mit hundertfünfzig Arbeitern die Ausgrabung Trojas. Dieje-
20 nigen Gelehrten, die an das Bestehen eines historischen Trojas glaubten, hielten ein türkisches Städtchen Burnarbaschi für den Ort, auf dem die alte homerische Stadt gestanden hätte. Schliemann erschien in Kleinasien, machte Messungen, besah sich die Gegend um Burnarbaschi und
25 war überzeugt, daß dies nicht die Stelle des alten Trojas sein könne. Trotzdem seine gelehrteren Gegner den Kopf schüttelten und sich offen über ihn lustig machten,[71] begann er auf dem Tafelland [72] bei dem Dörfchen Hissarlik

[63] **genial** ingenious
[64] (**lückenhafter Vorbildung** preparatory education which showed many gaps)
[65] (**der Schutt** rubble)   [66] **ließ sich von ihm scheiden** divorced him
[67] (**die Werbung** courtship)
[68] **edler Gesinnung** of noble mind and character   [69] *s.* #6f
[70] (**der Gatte** husband)   [71] **sich lustig machen über** make fun of
[72] (**das Tafelland** plateau)

zu graben. Bald fanden sich die Überreste von Häusern und Mauern sowie zahlreiche alte Gefäße,[73] Waffen und Schmucksachen,[74] die Tausende von Jahren alt waren. Der Spott seiner Gegner verstummte, und das gebildete Europa begann, sich für diesen wunderlichen [75] Kaufmann zu in- 5 teressieren, der eine fast übernatürliche Begabung zu besitzen schien.

Schliemann triumphierte und setzte seine Ausgrabungen mit verdoppeltem Eifer fort. Nun begann aber die tragische Ironie im Leben dieses Genies, ihre Rolle zu spielen. 10 In seinem Eifer, das homerische Troja zu finden, und aus Mangel an archäologischen Kenntnissen grub er durch die Stadt hindurch, die heute als das homerische Troja gilt.[76] Schliemann wollte Bestätigungen für homerische Verse finden, und so kümmerte er sich nicht genügend um die 15 Chronologie der Schichten, die seine Arbeiter ans Tageslicht brachten.

Als er eines Tages mit seiner Frau die Ausgrabungen überwachte, sah er tief im Staub, halb verdeckt, einen Goldschimmer. Sofort ließ er die Aufseher den Arbeitern 20 sagen,[77] daß er Geburtstag habe, und daß sie heute nach Hause gehen könnten. Dann gruben er und seine Frau ein großes Kupfergefäß aus, gefüllt mit feinstem uraltem Goldschmuck. Sophia Schliemann legte den Schatz [78] in ihren Schal, und beide trugen die kostbare Last in ihre Hütte. 25 War Schliemanns Lebenstraum Wirklichkeit geworden? Hatte ihm ein günstiges Geschick den Wunsch erfüllt, für den er jahrzehntelang schwer gearbeitet hatte? Schliemann glaubte es. Für ihn lag auf dem Holztisch seiner Hütte der Beweis dafür, daß er das Troja Homers, ja den Gold- 30

---

[73] (das Gefäß vessel)   [74] die Schmucksachen pl. jewels
[75] wunderlich strange   [76] gelten als to be considered to be
[77] ließ er die Aufseher . . . sagen he had the foremen tell
[78] der Schatz treasure

schmuck des Königs Priamus [79] gefunden hatte. Unter den
Kostbarkeiten [80] befand sich ein Diadem, ein wahres
Meisterwerk archaischer Goldschmiedekunst. Es besteht
aus 90 feinen Kettchen,[81] 12 271 Goldringen, 4066 herz-
5 förmigen Plättchen und 16 kleinen Götterfiguren. Schliemann setzte das Diadem seiner Frau auf und sah sie lange
an, während ihm die Freudentränen über die Wangen liefen. Dies Diadem war für ihn nicht nur einer der wert-
vollsten archäologischen Funde seiner Art, es war für ihn
10 vor allem das Diadem der schönen Helena.

Der Schatz des Königs Priamus, das Diadem der schönen Helena—solche phantastischen Ausdeutungen [82]
seiner Funde machten es den Gelehrten, die ihn um seinen
Erfolg beneideten, leicht, ihn einen Dilettanten zu nennen.
15 E i n Gelehrter aber, den der kleinliche Neid seiner Kollegen empörte,[83] trat auf Schliemanns Seite.[84] Es war
Dörpfeld, einer der besten Berufsarchäologen seiner Zeit.
Dörpfeld erkannte das überlegene Genie seines älteren
Freundes an und versuchte,[85] Schliemann davon abzu-
20 halten, seine genialen Funde unwissenschaftlich auszudeuten. In einem Punkte konnte Dörpfeld aber seinen
Freund nicht überzeugen. Schliemann hatte den Goldschmuck in der zweituntersten der sieben Schichten [86] gefunden und war deshalb überzeugt, daß diese Schicht das
25 alte Troja war. Dörpfeld hat der Nachwelt bewiesen, daß
man die zweitoberste Schicht für das homerische Troja
halten müsse. In der zweitobersten der von Schliemann

79 **Priamus** Priam, *the last king of Troy*
80 **die Kostbarkeiten** *pl.* jewels   81 das **Kettchen** small chain
82 **die Ausdeutung** interpretation
83 (**empören** to rouse to indignation)
84 **trat auf Schliemanns Seite** sided with Schliemann
85 **versuchte, Schliemann davon abzuhalten, . . . auszudeuten** *s.* #12b
86 (**in der zweituntersten der sieben Schichten** in the lowest but one of
the seven strata)

ausgegrabenen Schichten fanden sich die Überreste mäch-
tiger Befestigungswerke [87] und großer Gebäude. Der große
Königspalast in dieser Schicht stimmt im Grundriß [88] mit
den Pälasten von Mykenä und Tiryns [89] überein. Dörpfeld
bewies, daß in dieser mykenischen Schicht das Troja lag, 5
das in den großen Kämpfen der homerischen Zeit eine
Rolle gespielt hat. Sprach er aber zu Schliemann von diesen
Tatsachen, so schüttelte dieser traurig den Kopf, und
Dörpfeld gab es bald auf, den großen Traum seines
Freundes durch wissenschaftliche Beobachtungen zu 10
stören.

Den Goldschatz schenkte Schliemann mit der Freige-
bigkeit des königlichen Kaufmanns dem Deutschen Reich.
Der Schatz wurde im sogenannten Alten Museum, dem
größten Museum Berlins, mit anderen seiner trojanischen 15
Funde ausgestellt. Die Säle, die dazu nötig waren, trugen
Schliemanns Namen.

Schliemann war jetzt reich und berühmt. Sein Lebenstraum war erfüllt worden, und er hätte sich jetzt zur
Ruhe setzen [90] können, um die Früchte seiner Arbeit zu 20
genießen. Aber ein sonderbarer Goldhunger hatte Schliemann erfaßt.[91] Es war natürlich nicht der gewöhnliche
Goldhunger. Schliemann wollte die uralten Goldschätze
in Händen halten, von denen die *Ilias* [92] und *Odyssee* [93]
berichten. 25

---

[87] die **Befestigungswerke** *pl.* fortifications
[88] (der **Grundriß** ground plan)
[89] **Mykenä** Mycenae, *ancient Greek city, legendary seat of Homeric kings;*
Tiryns another ancient Greek city, famous in Greek legends
[90] **zur Ruhe setzen** to retire   [91] **erfassen** to seize
[92] *Ilias Iliad, Greek epic poem ascribed to Homer, telling of the events*
of the last year of the Trojan war
[93] *Odyssee Odyssey, Greek epic poem ascribed to Homer, describing the*
ten years' wanderings of Odysseus, one of the Greek chieftains in the
Trojan War, in returning home after the siege of Troy

Da war vor allem das „goldreiche Mykenä", die Residenz Agamemnons,[94] von der Homer spricht. Mykenä war also Schliemanns nächstes Arbeitsfeld. Wieder glaubte er wörtlich, was Homer und die griechische Überlieferung
5 von Agamemnon und der Tragödie seines Hauses zu sagen hatten. Von seiner Frau begleitet, ging er nach Mykenä und begann zu graben, wieder an einer Stelle, wo die Gelehrten es für aussichtslos [95] hielten. Diesmal aber hatte er Schwierigkeiten. Die türkische Regierung hatte einen
10 langen Prozeß mit Schliemann geführt,[96] denn der trojanische Goldschatz war auf türkischem Gebiet gefunden worden, und die türkische Regierung glaubte, ein Recht auf den Schatz zu haben. Da zeigte es sich aber, daß Schliemann ein erfahrener Geschäftsmann war. Er zahlte
15 eine gewisse Geldsumme, die ihn nicht schmerzte, die die Türken zufriedenstellte [97] und die natürlich viel zu klein war für den historischen Wert seines Fundes.

Die griechische Regierung war dem Prozeß mit Interesse gefolgt. Obwohl Schliemann griechischer Bürger gewor-
20 den war und eine Griechin geheiratet hatte, traute man ihm in Griechenland nicht. Wie hätten die Regierungsbeamten auch diesen sonderbaren Fremden verstehen können! [98] Das Gold, das er suchte und fand, war für ihn das Gold homerischer Könige; für sie bedeutete es, daß er
25 sich auf Kosten Griechenlands bereichern wollte. Es wurden deshalb Soldaten zu den Ausgrabungen in Mykenä geschickt, die den Fremden bewachen und ihn daran hindern sollten, Gold oder Kunstwerke ins Ausland zu schmuggeln. Dieser Verdacht [99] erbitterte den idealisti-
30 schen Schliemann aufs äußerste.[1]

---

[94] Agamemnon *king of Mycenae, brother of Menelaus, and leader of the Greeks in the Trojan War*
[95] **aussichtslos** hopeless   [96] **einen Prozeß führen** to conduct a lawsuit
[97] **zufrieden stellen** to satisfy   [98] *s.* #6f
[99] **der Verdacht** suspicion   [1] **aufs äußerste** extremely

Nun zeigte es sich wieder, was für eine wundervolle
Frau Sophia für ihren temperamentvollen Mann war. Mit
weiblichem Takt und der Kenntnis ihrer griechischen Mitbürger erreichte sie mehr als Schliemann mit all seinen
Wutausbrüchen und Drohungen. Als Schliemann einmal 5
ein beleidigendes Telegramm an die griechische Regierung
schickte, änderte sie ohne Schliemanns Wissen in letzter
Minute den Wortlaut.[2] Das Resultat war, daß die Regierung nachgab, und Schliemann prahlte [3] noch lange vor
seiner Frau, wieviel er mit seinem energischen Protest er- 10
reicht habe.

Trotz aller Schikanen, Mißverständnisse und der gewaltigen Sommerhitze des Jahres 1876 arbeitete Schliemann
wie ein Besessener.[4] Er begann, auf der Burg innerhalb
der Ringmauer zu graben, was den Fachleuten [5] vollkom- 15
men sinnlos schien. Aber wieder sollte der geniale Dilettant
die Fachleute beschämen. Bald fand er eine Anzahl alter
Gräber, und bald schimmerte auch der erste Goldring
durch den Staub. Sofort bildeten die Soldaten einen
Kordon um die Fundstelle. Die Arbeiter wurden entlassen, 20
und unter Schliemanns Leitung grub Sophia, die die fein-
sten Hände hatte, mit einem Federmesser vorsichtig weiter. Ein gewaltiger Goldschatz kam zum Vorschein.[6] Wichtiger aber waren für Schliemann die Leichen,[7] die er fand.
Bei dem grössten Schatz fand er die Leiche eines Mannes 25
mittleren Alters.[8] Das Gesicht des Mannes war von einer
Goldmaske bedeckt. Schliemann nahm die Maske ab und
zeigte auf die mumifizierten menschlichen Reste. „Ich
habe Agamemnon gefunden," murmelte er. Er murmelte es
nicht nur. Er veröffentlichte seine Theorie, die für ihn ein 30

[2] der **Wortlaut** wording   [3] (**prahlen** to boast)
[4] (**ein Besessener** one who is possessed by the devil)
[5] der **Fachmann, –leute** expert   [6] **zum Vorschein kommen** to appear
[7] (die **Leiche** corpse)
[8] **eines Mannes mittleren Alters** of a middle-aged man

Dogma war, in einem dicken Buch, erntete aber wieder nur den Spott der gelehrten Welt. Diesmal war seine Theorie unglaublich phantastisch. Da das eine Auge des Toten halb offen stand, benutzte Schlie-

5 mann dies für seine Theorie. Er erinnerte seine Leser daran, daß der Überlieferung nach [9] Klytemnestra ihrem ermordeten Gatten nicht die Augen geschlossen hätte. Mit Recht [10] fragte ihn ein Kritiker, wie er es erkläre, daß sich an dem Schädel [11] des Toten keine Löcher oder Bruch-

10 stellen finden ließen.[12] Der gesamten [13] griechischen literarischen Überlieferung nach war Agamemnon beim Baden von Aegistheus, dem Geliebten Klytemnestras, mit einer Axt erschlagen worden. Schliemann ärgerte sich sehr über solche Kritik. Seinen Freunden sagte er: „Nun gut,[14]

15 wenn der Tote nicht Agamemnon ist, dann ist es vielleicht Herr Schulze. Von jetzt an wollen wir [15] ihn Herrn Schulze nennen!" In diesen Worten erkennen wir die Bitterkeit eines Mannes, der seine Traumwelt beleidigt fühlte. Auf die taktvollen Bitten Dörpfelds ließ er die Polemik um

20 Agamemnon fallen.[16]

Jedenfalls [17] hatte Schliemann es für spätere Forscher klar gemacht, daß Mykenä der Mittelpunkt einer eigenartigen Kultur war, die sich um fünfzehnhundert v. Chr.[18] über das Mittelmeergebiet erstreckte. Schliemanns nächste

25 Ausgrabung machte das noch klarer. In Tiryns, in der Nähe von Mykenä, grub er einen Königspalast aus, der im Grundriß mit der Beschreibung Homers und mit den Palästen in Troja und Mykenä übereinstimmt.

Erst heute können wir all diese kulturellen Zusammen-

30 hänge richtig verstehen, da inzwischen der große eng-

---

[9] **nach** according to; s. #9   [10] **Mit Recht** Justly
[11] (**der Schädel** skull)   [12] s. #3a   [13] **gesamt** entire
[14] **Nun gut** Very well   [15] **wollen wir** let us; s. #6b
[16] **fallen lassen** to drop   [17] **Jedenfalls** At any rate
[18] **v. Chr.** = **vor Christus** B.C.

lische Archäologe Sir Arthur Evans auf Kreta [19] eine Kultur
entdeckt hat, die man die kretische oder minoische [20] Kultur nennt. Die mykenische Kultur scheint ein Zweig dieser
großen Kultur gewesen zu sein. Schliemann besuchte oft
die Familie Evans, und so lernte ihn der kleine Arthur [5]
Evans kennen. Er hat den sonderbaren Gast seines Vaters
nie vergessen. Er erinnere sich an ihn, sagte er, als an einen
kleinen, schlanken Mann, der durch seine exotische
Brille [21] tief in die Erde zu blicken schien.

Schliemanns Lebenswerk war beendet. Er fuhr aber [10]
trotzdem fort, auf dem Tafelland von Hissarlik das alte
Troja auszugraben. Er machte lange Reisen, um seine
archäologischen und ethnologischen Kenntnisse zu erweitern. Seine Familie lebte in Athen in einem Marmorpalast,
den er sich dort hatte bauen lassen.[22] Seiner Frau schrieb er [15]
nach wie vor [23] zärtliche Briefe—auf altgriechisch. Mit
seinem neunzigjährigen Vater, den er zwang, auf lateinisch
zu schreiben, stritt [24] er sich um grammatische Punkte, und
nebenbei frischte er seine Kenntnisse des Arabischen auf.
Das Studium des Arabischen aber sollte indirekt die Ur- [20]
sache [25] von Schliemanns Tod werden.

In den Winterstürmen, die über das Dörfchen Hissarlik
und das alte Troja brausten, hatte sich Schliemann erkältet.
Diese Erkältung führte zu einem schweren Ohrenleiden;
er wurde operiert und fühlte sich eine Zeitlang besser. [25]
Weihnachten 1890 kam heran, und Schliemann, der gerade
in Frankreich war, machte sich auf den Weg,[26] um das
Weihnachtsfest in Athen im Kreise seiner Familie verleben
zu können. Während der langen Bahnfahrt studierte er

[19] Kreta Crete, *island in Mediterranean Sea*
[20] minoische Minoan, *designating the culture of Crete which dates from
about 3000 to about 1100 B.C.*
[21] die Brille (pair of) spectacles   [22] *s.* #3b
[23] nach wie vor as usual   [24] sich streiten to quarrel
[25] die Ursache cause   [26] machte sich auf den Weg started out

Arabisch und vergaß in seinem Eifer, sich Watte [27] in die
Ohren zu stopfen, wie ihm das sein Arzt befohlen hatte.
Der Wagen war kalt und zugig,[28] und Schliemanns Ohrenleiden wurde schlimmer. In Neapel mußte er seine Reise
5 unterbrechen und zu einem Arzt gehen. Der Arzt erkannte
nicht sofort, daß Schliemann schwer krank war, und
schickte ihn nach kurzer Untersuchung [29] in sein Hotel
zurück. Schliemann brach auf der Straße zusammen, am
ganzen Leibe gelähmt, unfähig, ein Wort zu sprechen. Da
10 er, wie viele Gelehrte dieser Zeit, sein Äußeres [30] vernach-
lässigte, hielt man ihn zuerst für einen Armen. Dann fand
man Gold in seinen Taschen, und schließlich machte man
ausfindig, daß er der berühmte Schliemann war. Sofort
wurden alle Spezialisten Neapels in Schliemanns Hotel
15 gerufen. Aber es war zu spät. Während die Ärzte sich noch
berieten,[31] starb der große Entdecker in seinem kleinen,
kalten Hotelzimmer, ohne seine Frau und seine zweite
Heimat Griechenland noch einmal gesehen zu haben.

EXERCISES

A. Questions

1. Was ist die Bedeutung des Zitates aus Goethes Drama *Iphigenie* „Das Land der Griechen mit der Seele suchend"?
2. Wie nennt man einen Menschen, der dem Phantom einer
vergangenen Zeit nachjagt?
3. Wie wurde der junge Schliemann mit Troja bekannt?
4. Inwiefern las Schliemann den Homer und die griechischen
Tragödiendichter anders als die Philologen seiner Zeit?
5. Warum wurde Schliemann ins Armenkrankenhaus von
Amsterdam gebracht?
6. Inwiefern war Schliemann für das Erlernen von fremden
Sprachen begabt?

[27] (die Watte cotton)   [28] (zugig draughty)
[29] die Untersuchung examination
[30] sein Äußeres his outward appearance   [31] sich beraten to confer

7. Wie verdiente Schliemann „die erste Million"?
8. Warum ließ sich seine russische Frau von ihm scheiden?
9. Wo hatte die alte homerische Stadt Troja gelegen?
10. Warum suchte Schliemann die Stadt Troja in der falschen Schicht?
11. Warum nannten die Gelehrten ihn einen Dilettanten?
12. Warum mußte Schliemann der türkischen Regierung Geld geben?
13. Wie beschämte Schliemann die Fachleute bei den Ausgrabungen in Mykenä?
14. Was erzählt uns die griechische Überlieferung von Agamemnons Tod?
15. Warum können wir erst heute die Bedeutung der Schliemannschen Ausgrabungen richtig verstehen?
16. Was sind einige Exzentrizitäten des alten Schliemann?

B. Vocabulary Review

1. die Art	24. die Freigebigkeit
2. der Staub	25. der Neid
3. der Ort	26. beneiden
4. der Beruf	27. leisten
5. der Beweis	28. die Leistung
6. die Beziehung	29. widersprechen
7. die Begabung	30. der Widerspruch
8. der Entschluß	31. erleben
9. der Versuch	32. das Erlebnis
10. die Verwirklichung	33. schenken
11. das Gedächtnis	34. brauchen
12. die Gegend	35. sich streiten
13. die Weise	36. zwingen
14. die Kenntnis	37. dauern
15. die Drohung	38. retten
16. der Eifer	39. sich ärgern
17. die Stellung	40. genießen
18. die Tatsache	41. geschehen
19. die Sehnsucht	42. berichten
20. das Schicksal	43. beleidigen
21. der Mittelpunkt	44. beschreiben
22. der Ausdruck	45. begleiten
23. die Anzahl	46. beeinflussen

47. betonen	74. fest
48. bereichern	75. fast
49. sich erinnern	76. damals
50. erreichen	77. gewöhnlich
51. erkennen	78. ziemlich
52. ersetzen	79. trotz
53. veröffentlichen	80. trotzdem
54. verdienen	81. schließlich
55. verlassen	82. gelegentlich
56. verehren	83. verhältnismäßig
57. verwechseln	84. zunächst
58. empfinden	85. jedenfalls
59. fortfahren	86. deshalb
60. überzeugen	87. obwohl
61. übereinstimmen	88. gerade
62. traurig	89. während (conj.)
63. wörtlich	90. eigentlich
64. sinnlos	91. erst
65. vorsichtig	92. jedoch
66. gründlich	93. bei
67. fähig	94. sich lustig machen über
68. günstig	95. gelten als
69. lebendig	96. sich kümmern um
70. gewaltig	97. halten für
71. schlank	98. noch einmal
72. gebildet	99. 5 Jahre lang
73. genügend	

C. Practice Sentences

1. Erst im zwanzigsten Jahrhundert erkannte man den Wert dieser Ausgrabungen.
2. Das Gelernte muß geübt werden, sonst wird es schnell vergessen.
3. Der oft sinnlose Widerspruch seiner ihn um seine Erfolge beneidenden Kollegen verbitterte den idealistischen Mann.
4. Es läßt sich nicht beschreiben, welchen Eindruck dies Erlebnis auf ihn machte.
5. Was von dem griechischen Altertum gilt, gilt auch von dem römischen Altertum: Wir dürfen nicht vergessen, daß das wahre Leben dieser Zeiten sich nicht aus den Meister-

werken der Literatur und Kunst allein rekonstruieren läßt.

6. Ohne sich darum zu kümmern, daß seine Schmerzen immer größer wurden, ging er weiter, bis er auf der Straße zusammenbrach.

7. Er ließ sich von seiner Sekretärin die von deutschen Geschäftsfreunden geschickten Briefe übersetzen, um ihre Deutschkenntnisse zu prüfen.

8. Er gilt bei seinen Freunden als großer Gelehrter; ich halte ihn aber für einen Dilettanten.

9. Den Beweis für die Richtigkeit seiner Theorien sah man im Erfolg seiner Ausgrabungen.

10. Es sei noch einmal darauf hingewiesen, daß dies Experiment nicht als Beweis gelten kann.

✦ 4 ✦

SCHWEITZER

Ein moderner Christ[1]

In Tausenden von Büchern, Aufsätzen [2] und Reden wird
mit wissenschaftlicher Objektivität oder mit propheti-
schem Eifer festgestellt, daß unsere Kultur bis in die Wur-
zeln [3] krank sei und einer Radikalkur bedürfe [4] oder, wie
5 einige behaupten, ihrem Ende entgegengehe. Der moderne
Mensch wird getadelt,[5] daß er von der Technik und der
Naturwissenschaft, auf die er so stolz sei, nicht den rich-
tigen Gebrauch mache. Anstatt [6] die Erde in ein Paradies
zu verwandeln,[7] was zum ersten Mal in der Menschheits-
10 geschichte in seiner Macht läge, schaffe der Mensch nur
noch mehr Massenelend. Es [8] seien [9] die Gründe für
Kriege, Revolutionen, Hungersnöte in der Schwäche des
Menschen zu suchen, dem es an Liebe für seine Mitmenschen und an sozialem Gewissen fehle.[10] Solange dem Men-
15 schen das große Leiden um ihn her gleichgültig sei [11] und
er nur an seine eigene Sicherheit denke—darin stimmen die
meisten Kritiker überein—sei er nicht zu retten.[12]

[1] der **Christ** Christian   [2] der **Aufsatz** article   [3] die **Wurzel** root
[4] **bedürfen** be in need of
[5] **wird getadelt, daß er** . . . **nicht mache** is being reproached for not mak-
ing
[6] **Anstatt** . . . **zu;** *s.* #14a   [7] **verwandeln** to transform
[8] *anticipatory* es; *omit. The real subject is* **Gründe**
[9] **seien** . . . **zu suchen** must be sought   [10] **dem es fehle** who lacks
[11] **dem Menschen** . . . **gleichgültig sei** man is indifferent to
[12] **sei er nicht zu retten;** *s.* #4

Da ist es nun ein tröstender Gedanke, daß es immer noch Menschen gibt, denen derartige Vorwürfe nicht gelten.[13] Sieht man sich im täglichen Leben um, so findet man überall Beispiele selbstloser Menschenliebe, genug jedenfalls, um hoffen zu dürfen, daß die Mauern, die der Haß [5] baut, immer wieder eingerissen werden, und unser Zusammenleben auf diesem Planeten möglich bleibt.

Hin und wieder gibt es auch in der Geschichte einen ganz großen Menschen, den das Elend der Menschheit zu Taten der Menschenliebe bewegt. In unserem Zeitalter ist [10] Albert Schweitzer solch ein Mensch.

Schweitzers Leben begann 1875 im Pfarrhause eines elsässischen [14] Dorfes. Beim Anhören des Orgelspieles in der Dorfkirche entwickelte sich das musikalische Talent des Kindes. Hier sollte es sich bald zeigen, daß Schweitzer [15] in allem das höchste Ziel zu erreichen suchte. Er ruhte nicht, bis er die ganze Kunst des Orgelspiels beherrschte und darüber hinaus die technischen Probleme des Orgelbaues gründlich studiert hatte. Durch unermüdliche Arbeit wurde er einer der besten Orgelspieler und Bach- [20] kenner Europas. Sein 1906 geschriebenes Buch *Deutsche und französische Orgelbaukunst und Orgelkunst* [15] gilt als Ausgangspunkt für das erneute europäische Interesse für die Orgel und die Orgelmusik. Nicht zu vergessen ist seine im selben Jahre veröffentlichte Monographie über Johann [25] Sebastian Bach, die er durch eine kritische Ausgabe der Präludien und Fugen ergänzte. Seine äußerst sorgfältige kritische Arbeit an den Ausgaben und seine praktischen Belehrungen [16] über das Spielen Bachscher Werke haben dies Buch zum führenden Bachwerk unserer Zeit gemacht. [30]

Ein international berühmter Orgelspieler und Bach-

[13] gelten apply to
[14] elsässisch Alsatian (*Alsace was ceded to France in 1919*)
[15] *German and French Art in Organ-Building and Organ-Playing*
[16] (die **Belehrung** instruction)

kenner zu werden, ist eine hervorragende [17] Leistung und würde den meisten Musikern oder Musikforschern als Lebensaufgabe mehr als genügen. Für Schweitzer war das aber nur Nebenbeschäftigung.

5 Schon in seinen Knabenjahren ließ sich bei Schweitzer eine ausgesprochene Neigung [18] zu ethischem Denken erkennen. In seiner Autobiographie *Aus meinem Leben und Denken* berichtet er uns, daß er oft darüber nachdachte, wieso er es verdiene, als Kind einer vermögenden [19] Fa-
10 milie die Höhere Schule [20] zu besuchen, während andere, unter weniger glücklichen Verhältnissen [21] Geborene, ihre Tage in geistiger Armut verleben mußten. Mit den Jahren wurde es ihm immer klarer, daß hier Arbeit zu leisten, daß soziale Ungerechtigkeit überall zu bekämpfen war.[22]
15 Was war zu tun? Zunächst schien es ihm, daß der Beruf des Geistlichen die beste Gelegenheit biete, im Dienste der leidenden Menschheit zu arbeiten. Im Herbst des Jahres 1893 begann er seine theologischen und philosophischen Studien an der Straßburger Universität. Von Anfang an
20 zeigte der junge Student dieselbe liberale Gesinnung,[23] die ihm in seinem späteren Leben bei den Orthodoxen manche Schwierigkeit verursachen sollte. Wer [24] ihn näher kannte, der wußte, daß Schweitzers Liberalismus in theologischen Dingen aus ernsthaftem Nachdenken und ehrlicher Über-
25 zeugung stammte. Er beendete seine Studien mit dem glänzend bestandenen [25] theologischen Examen und dem Doktor der Philosophie. Der Titel seiner Doktorarbeit

---

[17] (hervorragend outstanding)   [18] die Neigung inclination
[19] vermögend well-to-do
[20] die Höhere Schule secondary school, *i.e.* the Gymnasium, *comprising 5th to 8th grade of grade school, high school, and 1 to 2 years of college*
[21] die Verhältnisse *pl.* circumstances
[22] *Note that* war *governs two infinitives:* war zu leisten was to be done *and* war zu bekämpfen was to be opposed
[23] (die Gesinnung views)   [24] Wer . . . , der He who
[25] glänzend bestandenen which he passed brilliantly

lautete: [26] „Die Religionsphilosophie Kants." [27] Sie enthielt so viele neue Gedanken und stellte die schwierigen
Probleme, mit denen sich der Philosoph und auch der Theologe beschäftigen müssen, so geschickt dar,[28] daß sie von
einem bekannten Verleger veröffentlicht wurde. Es [29] be- 5
stand kein Zweifel, dieser junge Doktor der Philosophie
hatte eine glänzende Gelehrten- oder Schriftstellerlaufbahn vor sich.

Zunächst wurde nun Schweitzer Privatdozent [30] für
Neues Testament an der Universität Straßburg und evan- 10
gelischer Geistlicher an einer der Straßburger Kirchen.
Seine theologische Gelehrtenarbeit setzte er als Universi-
tätsprofessor natürlich fort und veröffentlichte die Ergeb-
nisse seiner Studien. Hier ist nun zu bemerken, daß er
einen für den Jahrhundertbeginn höchst radikalen Ge- 15
danken vertrat. Er behauptete, die Lehre Christi sei so zu
verstehen,[31] daß Jesus selber an das bevorstehende Ende
der Welt geglaubt habe. Um also das Dogma des Christentums mit unserer Zeit in Einklang [32] zu bringen, müsse
man die ewigen Wahrheiten des Christentums mit mo- 20
dernen Reformen verbinden. Bei solchen Anschauungen [33]
war es natürlich nicht zu vermeiden, daß Schweitzer in
religiöse Streitigkeiten mit anderen Theologen geriet.[34]
Aber auch die Gegner seiner Anschauungen wußten, daß
sie es mit einem Menschen zu tun hatten, der im wahren 25
Sinne des Wortes ein Christ war. Was ein Christ im wahren
Sinne des Wortes sei, hat Schweitzer oft genug gesagt: Es
ist ein Mensch, der seine Mitmenschen mehr liebt als sich
selbst.

[26] (lautete was)
[27] Kant Immanuel Kant, *famous German philosopher of the 18th century*
[28] (dar-stellen to present)   [29] Es There
[30] der **Privatdozent** (*unsalaried*) lecturer
[31] **sei so zu verstehen** must be understood to mean
[32] (der **Einklang** harmony)   [33] (die **Anschauung** view)
[34] (**geraten** *here* become involved)

Trotz seiner theologischen Lehrtätigkeit und trotz der
erfolgreichen Arbeit als Geistlicher war Schweitzer aber
nicht mit seinem Leben zufrieden. Im Herbst des Jahres
1905 erhielten seine Eltern und nächsten Freunde eine
5 Nachricht von ihm, die wie ein Blitz aus heiterem Himmel [35] gewirkt haben muß.[36] Schweitzer erklärte, daß er
mit Beginn des Wintersemesters Medizin studieren werde,
um nach beendetem Studium nach Äquatorialafrika als
Missionsarzt zu gehen.
10 Niemand verstand ihn, seine Freunde und Verwandten
versuchten, ihn zu überreden, diese idealistische Torheit [37]
aufzugeben. Warum wollte er seine glänzende Laufbahn
als Theologe, Philosoph und Schriftsteller im Alter von
dreißig Jahren abbrechen, um ein Studium zu beginnen,
15 das Jahre seines Lebens verbrauchen [38] würde? Und was
sollte nach diesem Studium kommen? Warum wollte er
sich in die Wildnis zurückziehen? Wenn er auch einigen
leidenden Eingeborenen [39] Hilfe brächte, so wäre das doch
nur ein Tropfen auf den heißen Stein.[40] Andere dachten,
20 daß er wirklich den Verstand verloren hätte.[41] Man ver-
mutete [42] sogar eine unglückliche Liebesgeschichte.
Schweitzer ließ sich nicht überreden.[43] Was er jetzt tat,
hatte er schon seit langem geplant, und er hatte das Für
und Wider [44] reiflich bedacht. In seiner Autobiographie
25 gibt er uns einen ausführlichen Bericht über seine Motive,
der es klar macht, wie wenig ihn seine Freunde verstanden.
Daß bei einem Mann wie Schweitzer die Freude am aben-

---

[35] ein Blitz aus heiterem Himmel a bolt from the blue
[36] wirken wie to produce the effect   [37] (die Torheit folly)
[38] (verbrauchen to consume)   [39] der Eingeborene native
[40] ein Tropfen auf den heißen Stein (a drop on the hot stone) a drop in
the bucket
[41] den Verstand verlieren (lose one's sense) go out of one's mind
[42] vermuten to suspect
[43] ließ sich nicht überreden did not permit himself to be persuaded
[44] das Für und Wider the pros and cons

teuerlichen Leben nicht in Frage kam, wußten sie zwar.
Was sie aber nicht wußten, war, daß hier ein Mann den
Mut hatte, das höchste Gebot des Christentums, das Gebot
der Menschenliebe ernst zu nehmen.[45] Schweitzer sagt, daß
ein Jesuwort der Leitstern seines Lebens geworden sei: 5
„Wer sein Leben behalten will, der wird es verlieren, und
wer sein Leben verliert um meinet- und des Evangeliums
willen,[46] der wird es behalten."
Daß er in gewissem Sinne sein Leben verlieren würde,
wußte Schweitzer. Die schwere ärztliche Arbeit tief im 10
französischen Kongo ließ ihm keine Zeit für seine geliebte
Musik, und wenn er, wie er das später tat, an seinen philosophischen Werken weiterarbeiten wollte, so konnte er
das nur in erschöpftem [47] Zustand tun.
In seiner Autobiographie spricht Schweitzer auch aus- 15
führlich darüber, warum er gerade den Arztberuf gewählt
habe. Er schreibt, er habe Arzt werden wollen, weil er
eingesehen habe, daß Taten besser seien als Worte. Er
selber habe jahrelang mit Worten gearbeitet, er habe von
der Religion der Liebe gesprochen und habe immer wieder 20
gesehen, wie erfolglos all sein Reden gewesen sei. Als Arzt
habe er die beste Gelegenheit, die Religion der Liebe in
die Tat umzusetzen,[48] und etwas für die leidenden Menschen zu tun, anstatt nur für sie [49] zu reden. Er habe in
den Missionsblättern gelesen, daß es in Äquatorialafrika 25
nicht genug Ärzte gäbe, und niemand da sei, der den
kranken Eingeborenen helfe. So habe er sich entschlossen,
der Arzt dieser Ärmsten der Armen zu werden.
Man hat Schweitzer oft den Vorwurf gemacht, er tue, als

---

[45] ernst nehmen (take seriously) be strict in the observance of
[46] um meinet- und des Evangeliums willen for my sake and for the sake
of the Gospel (Mark 8.35)
[47] (erschöpft exhausted)
[48] in die Tat umzusetzen (to change into the deed) to carry out
[49] (für sie in their behalf)

gäbe es [50] kein Elend in Europa. Man brauche nicht bis Afrika zu reisen, wenn man etwas für die leidende Menschheit tun wolle. Schweitzer antwortete auf solche Fragen, daß er die Schuld der Europäer an den Eingeborenen be-
5 sonders tief empfinde. Die Brutalität, die die Weißen hauptsächlich in Afrika gezeigt haben, hatte das christliche Gewissen Schweitzers aufs tiefste [51] erschüttert. So betrachtete er die leidenden Eingeborenen Afrikas als die hilflosesten seiner Mitmenschen und machte die ärztliche
10 Arbeit in Lambaréné, einer französischen Mission im Kongo, zu seiner Lebensaufgabe.

Schweitzer besiegte alle Schwierigkeiten, er bestand alle medizinischen Examen, was bei einem Mann von seiner Intelligenz und Willenskraft zu erwarten war. Er
15 zeigte erstaunliche Geduld, als die verschiedenen Missionsgesellschaften ihm offenes Mißtrauen zeigten, anstatt ihn mit offenen Armen aufzunehmen. Obwohl Schweitzer ihnen versicherte, daß er nur als Arzt, nicht als Prediger zu den Eingeborenen ginge, fürchteten die orthodoxen Vor-
20 stände der Missionsverbände,[52] seine Gegenwart könnte dem rechten Glauben ihrer Gemeinden [53] schaden. Schließlich überzeugte Schweitzer alle von dem rein humanitären Charakter seiner Absichten, und nachdem er das nötige Geld zusammengebracht hatte, verließ er 1913, von
25 seiner Frau begleitet, Europa, um in Lambaréné seine ärztliche Tätigkeit [54] zu beginnen.

Schon während er Medizin studierte, hatte er über seine Kraft hinaus [55] gearbeitet, denn er war nebenbei immer noch Prediger. Nun aber begann die schwerste Arbeit. Bei

[50] **er tue, als gäbe es** he acted as though there existed
[51] **aufs tiefste** most deeply
[52] die **Vorstände der Missionsverbände** (governing) boards of missionary alliances
[53] die **Gemeinde** community; *here* mission station
[54] die **Tätigkeit** activity; *here* practice
[55] **über seine Kraft hinaus** (beyond his strength) too hard

seiner Ankunft in Lambaréné war nicht einmal ein Dach
vorhanden, unter dem er operieren konnte. Während
Schweitzer noch seine Instrumente und Medikamente aus-
packte, kamen schon die ersten Patienten. Aus dreihundert
Kilometer [56] Entfernung kamen die kranken Eingeborenen 5
oder wurden von ihren Verwandten zu ihm getragen. Geduldig warteten sie vor der Hütte des weißen Mannes, der
von weit her übers Meer gekommen war, um ihnen in ihrem
Elend zu helfen. Von morgens bis abends [57] mußte
Schweitzer am Operationstisch stehen oder zwischen Ope- 10
rationen den Eingeborenen beim Bau des Krankenhauses
helfen.

Die einzige ärztliche Hilfe, die ihm zur Verfügung
stand,[58] leistete ihm [59] seine Frau, die eine gelernte Krankenpflegerin war. Das Geld für das Unternehmen reichte 15
im Anfang kaum aus. Schweitzer hatte es durch Orgelkonzerte verdient und von Freunden erbettelt. Dieses
Wort gebraucht er in seiner Autobiographie, und man kann
zwischen den Zeilen lesen, daß diesem Mann kein Opfer
für sein Werk zu groß war. 20

Enttäuschungen blieben ihm nicht erspart.[60] Die Mission
machte immer von neuem Schwierigkeiten aus Furcht vor
Schweitzers liberalen theologischen Anschauungen. Das
war aber noch nicht das Schlimmste. Nach Ausbruch des
Krieges 1914 hielten es die Franzosen für nötig, ihn und 25
seine Frau in ein Gefangenenlager zu stecken. Sie erkann-
ten nicht den Wert seiner Arbeit und konnten nur sehen,
daß er und seine Frau deutsche Staatsangehörige [61] waren.
Aber der Krieg konnte sein Werk nur unterbrechen, nicht

[56] Kilometer *about ⅕ of a mile*
[57] Von morgens bis abends From morning till night
[58] zur Verfügung stehen to be at one's disposal
[59] leistete ihm was rendered him by
[60] blieben ihm nicht erspart he was not spared
[61] (der Staatsangehörige subject)

beenden. In den Nachkriegsjahren reiste er durch alle Hauptstädte Europas und verdiente durch Orgelkonzerte eine beträchtliche Summe Geldes, um ein größeres Krankenhaus in Lambaréné zu bauen. Er brachte aus Europa
5 Ärzte und Krankenpfleger mit, und Lambaréné wurde unter seiner Leitung ein vorbildliches [62] Tropen-Krankenhaus.

Jetzt hatte er etwas freie Zeit, und er benutzte sie zu neuen Studien und einer produktiven schriftstellerischen
10 Tätigkeit. Das Geld, das ihm seine Bücher einbrachten, gebrauchte er für sein Krankenhaus. Hauptsächlich schrieb er jetzt philosophische Werke wie z.b. *Verfall und Wiederaufbau der Kultur* [63] (1923), *Das Christentum und die Weltreligionen* (1924).

15   Im Mittelpunkt seiner Gedanken und seiner Handlungen stehen immer die ethisch-sozialen Probleme unserer Zeit. Die Welt, sagt Schweitzer, bleibt uns immer ein Rätsel. Wir kennen nur ihre äußere Form; ihren Zweck verstehen wir nicht. Weil das so ist, muß der Wille sich ein ethisches
20 Ziel setzen. Nur durch die Tat erhält unser Leben seinen Sinn. Vom Christentum sagt er in seinen letzten Werken etwa das folgende: Der christlich denkende Mensch muß dahin gelangen, Ehrfurcht vor allem Lebenden zu fühlen.[64] Zu dieser Ehrfurcht kann er aber nicht durch bloßes Den-
25 ken kommen, er muß sie sich durch helfende und dienende Liebe erwerben. Nur durch Ehrfurcht und Liebe aber kann man Gott erkennen.

Ein beispielhaftes Leben wie Schweitzers muß auf viele Menschen eine Wirkung ausüben,[65] wie es das Leben der
30 Heiligen in vergangenen Jahrhunderten getan hat. Es ist aber immer wieder zu betonen, daß Schweitzer in jedem

---

[62] **vorbildlich** model   [63] *The Decay and Restoration of Civilization*
[64] **muß dahin gelangen, Ehrfurcht vor allem Lebenden zu fühlen** must reach the point where he feels reverence toward all things living
[65] **eine Wirkung ausüben auf** (exert an effect on) to influence

Sinne des Wortes ein moderner Mensch ist. Ob ein wissenschaftlich denkender und bewußt handelnder Mensch des
zwanzigsten Jahrhunderts mit seinen Taten und Gedanken
mit den Heiligen vergangener Jahrhunderte verglichen
werden darf, ist unwichtig. Wichtig ist, daß hier ein wahr- 5
haft moderner Mensch in wahrhaft christlicher Art ein
heldenhaftes Leben führt, welches Christen aller Konfes-
sionen zum Vorbild [66] dienen kann.

EXERCISES

A. Questions

1. Was halten viele für den Grund des modernen Massen-
   elends?
2. Was sind die wichtigsten Veröffentlichungen Schweitzers
   auf dem Gebiete der Musik?
3. Über welche soziale Ungerechtigkeit dachte Schweitzer
   schon in seinen Knabenjahren nach?
4. Für was für einen Beruf schien Schweitzer hochbegabt zu
   sein?
5. Wegen welcher Anschauung geriet Schweitzer mit anderen
   Theologen in religiöse Streitigkeiten?
6. Wie nannten Freunde und Verwandte Schweitzers
   Wunsch, als Missionsarzt nach Afrika zu gehen?
7. Was erzählt uns Schweitzer in seiner Autobiographie über
   das wahre Motiv seiner Handlung?
8. Welche Opfer mußte Schweitzer seinem neuen Beruf
   bringen?
9. Warum ist Schweitzer lieber Arzt als Geistlicher?
10. Warum hatte sich Schweitzer Afrika als Arbeitsfeld ge-
    wählt?
11. Warum machten ihm die Missionsgesellschaften Schwie-
    rigkeiten?
12. Woher kam das Geld für das Krankenhaus in Lambaréné?
13. Wie kann der Mensch nach Schweitzers Philosophie dem
    Leben einen Sinn geben?

[66] das Vorbild model

14. Was hält Schweitzer für das wahre Ziel des christlich denkenden Menschen?

B. Vocabulary Review

1. die Kunst
2. das Ziel
3. das Elend
4. die Schuld
5. die Zeile
6. das Opfer
7. der Zweck
8. der Ort
9. die Hauptstadt
10. die Schwierigkeit
11. der Aufsatz
12. die Ausgabe
13. die Nachricht
14. der Zustand
15. die Absicht
16. die Ankunft
17. die Leistung
18. der Gegner
19. die Gelegenheit
20. das Gewissen
21. die Geduld
22. die Gegenwart
23. die Enttäuschung
24. der Verwandte
25. der Kenner
26. das Ergebnis
27. der Beruf
28. betonen
29. begleiten
30. benutzen
31. besiegen
32. betrachten
33. behaupten
34. verlassen
35. versichern
36. vermeiden
37. gelangen
38. gelingen
39. entwickeln
40. sich entschließen
41. überzeugen
42. überreden
43. fortsetzen
44. einsehen
45. schaden
46. wählen
47. leiden
48. beispielhaft
49. sorgfältig
50. gründlich
51. geduldig
52. einzig
53. ehrlich
54. geschickt
55. etwas
56. etwa
57. hauptsächlich
58. besonders
59. zunächst
60. jedenfalls
61. halten für
62. in Bezug auf
63. zur Verfügung stehen
64. nicht einmal
65. von morgens bis abends

C. Practice Sentences

1. Hier sollten wir bald sehen, daß wir auf diesem Wege nie zu unserem Ziel gelangen würden.

2. Anstatt zu Hause zu sitzen und auf Nachrichten zu warten, sollten Sie ihn zu überreden versuchen zurückzukommen.

3. In einer vor dem Ende des neunzehnten Jahrhunderts geschriebenen Philosophiegeschichte findet sich der folgende für Kenner Kants hoch interessante Gedanke.

4. Vieles gilt heute als soziale Ungerechtigkeit, was im neunzehnten Jahrhundert weder Kirche noch Staat als solche betrachteten.

5. Wenn wir auch sofort nach einem Arzt schickten, so ist es doch unwahrscheinlich, daß er bei der großen Entfernung vor morgen hier sein kann.

6. Es gehörten zu den Arbeiten Schweitzers, wie das zu erwarten war, auch medizinische Veröffentlichungen und zwar über Tropenkrankheiten.

7. Ich halte sie für eine kranke, aus rein neurotischen Motiven handelnde Frau.

8. Er hatte Prediger werden wollen, aber während des Theologiestudiums entschloß er sich zum Beruf des Arztes.

9. Den deutschen Gelehrten des neunzehnten Jahrhunderts, denen nur kleine Laboratorien zur Verfügung standen, gelang es trotzdem, große wissenschaftliche Entdeckungen zu machen.

10. Es war vorauszusehen, daß er eine beträchtliche Summe Geldes für seine Unternehmungen brauchte.

✦ 5 ✦

MOZART

Don Juan

Der 29. Oktober 1787 war für alle musikliebenden Prager [1] ein Tag freudiger Erwartung. Am Abend dieses Tages sollte die Uraufführung [2] von Mozarts *Don Juan* stattfinden, und die Prager erwarteten viel von diesem
5 Mozart, dessen *Figaro* sie erfreut hatte, wie nie eine Oper zuvor. Von der Opernbühne war die Musik des *Figaro* in die Salons der böhmischen Aristokratie, aber auch in die Bürgerhäuser gedrungen, und auf den Straßen konnte man jung und alt Melodien aus dem *Figaro* singen hören.
10 Maestro Mozart war den Pragern aber nicht nur als Komponist und Virtuos bekannt. Seit Wochen wohnte er im Gasthof „Die drei goldenen Löwen" am Kohlmarkt, und ihm gegenüber wohnte der Italiener Lorenzo Da Ponte, der das Libretto zum *Figaro* geschrieben hatte und nun
15 schon seit Wochen am Libretto des *Don Juan* arbeitete. Es war stadtbekannt, wie die beiden, Komponist und Librettist, über die enge Straße weg bald schreiend, bald singend zusammen arbeiteten. Da Ponte stand dabei auf seinem Balkon, Mozart lehnte sich aus dem Fenster.
20 Mit Erstaunen sahen auch die Prager den kleinen schlan-

---

[1] der **Prager** *inhabitant of Prague, capital of Bohemia, now Czechoslovakia; pl.* die **Prager** people of Prague; *adj.* **Prager** of Prague
[2] die **Uraufführung** first performance

66

ken Mozart auf der Straße zwischen zwei baumlangen
Italienern gehen, mit denen er laut und lebhaft [3] auf italienisch disputierte. Der eine war natürlich Da Ponte; der
andere, ein zweiundsechzigjähriger Mann mit feurigen
schwarzen Augen, war kein anderer als der berühmte Gia- 5
como Casanova. Von wem hätten sich Mozart und sein
Librettist für ihr Musikdrama besseren Rat über das
Liebesleben des Don Giovanni holen [4] können als von dem
großen Signore Giacomo Casanova?

Mozart wohnte am Kohlmarkt, er wohnte aber auch in 10
der Bertramka, einem Landhaus in der Nähe Prags, als Gast
des Klaviervirtuosen Duschek und seiner Frau, der Sän-
gerin Josefa. Dieses Landhaus gehörte den Duscheks und
jedem Komponisten, Sänger, Musiker oder Musikfreund,
der der Gast Duscheks war. 15

Mozart und seine Frau Constanze waren wochenlang
fast jeden Tag bei den Duscheks, und für [5] den von Geld-
und Gesundheitssorgen verfolgten Mozart waren diese
Wochen die glücklichste Zeit seines Lebens. Im Freien, auf
einer Gartenterrasse, schrieb er die Partitur [6] des Don Juan, 20
saubere, korrekturfreie Manuskriptseiten, die mehr wie
eine Abschrift als wie ein Originalmanuskript aussahen.
In gewissem Sinne war es auch eine Abschrift, denn die
Musik des Don Juan war fertig, d.h. in Mozarts Kopf. Im
Reisewagen, auf einsamen Spaziergängen, beim Stunden- 25
geben im Hause reicher Aristokraten, wo ihm auch immer [7]
die schöpferischen [8] Gedanken kamen, hatte er alles kom-
poniert und brauchte nun die Oper nur „aus dem Sack
seines Gedächtnisses" zu ziehen, wie er es genannt hat.

[3] **lebhaft** lively; vigorously   [4] sich **Rat holen** to ask for advice
[5] *Read:* **für den Mozart, der von Geld und Gesundheitssorgen verfolgt
wurde** for Mozart who was pursued by worries over money and his health;
*s. #10c (Watch for several more complex attribute constructions in this
essay!)*
[6] (**die Partitur** score)   [7] **wo auch immer** wherever
[8] **schöpferisch** creative

So schrieb er auf der Terrasse der Bertramka einen Bogen nach dem anderen voll unsterblicher Musik, die die Welt erobern sollte. Der Lärm der lustigen Gesellschaft, die die kommende 5 Uraufführung feierte, konnte Mozart nicht stören. Im Gegenteil, da die Niederschrift [9] von dem, was er fertig im Kopf hatte, ihn langweilte, liebte er es, fröhliche Menschen um sich zu haben, wenn er seine Manuskripte verfaßte. Die Berichte der Zeitgenossen geben uns ein lebhaftes 10 Bild von Mozarts Arbeitsweise. Eine Weile lang schrieb er, tief in Gedanken versunken,[10] an seinem Manuskript. Kamen dann aber Gäste an, so warf er plötzlich die Feder weg, um mit ihnen ein Glas Wein zu trinken oder zu kegeln [11] oder den Damen ein paar Komplimente zu 15 machen. Mozart hatte das eine [12] mit seinem Helden Don Juan gemein, nämlich daß weibliche Schönheit großen Eindruck auf ihn machte. Mit einem Mal [13] war Mozart dann wieder verschwunden, und suchte man ihn, so fand man ihn an seinem Tisch, eifrig schreibend, als wäre nichts ge-20 schehen.

Sowie [14] die Seiten des Manuskripts fertig waren, wurden sie zum Abschreiber geschickt, und die Sänger konnten gleich im Hause der Duscheks unter Mozarts Leitung mit den Proben [15] beginnen. Unseren heutigen Begriffen 25 nach [16] waren die Opern damals sehr ungenügend vorbereitet. Für den Don Juan z.B. war nur eine Woche für Proben angesetzt, und diese Proben schlossen nicht einmal die Ouvertüre ein. Anderseits hatte die italienische Truppe, die den Don Juan singen sollte, den großen Vorteil, daß 30 Mozart selbst die Rollen mit ihnen einübte, daß sie also

[9] (die **Niederschrift** the writing-down)   [10] **tief . . . versunken** lost
[11] (**kegeln** to bowl)   [12] **das eine** one thing
[13] **Mit einem Mal** Suddenly   [14] **Sowie** As soon as
[15] (die **Probe** rehearsal)   [16] **Unseren heutigen Begriffen nach;** *s.* #9

sicher waren, die Oper so zu verstehen, wie Mozart sie
verstanden haben wollte.

Das Orchester war den Berichten der Zeitgenossen nach
den Sängern überlegen,[17] aber die armen Musiker hatten
ihre Not mit Mozarts genial unregelmäßigen Komponier- 5
methoden. Die Musik für die Blasinstrumente und Trom-
meln hatte Mozart gar nicht in die Partitur geschrieben.
Wiederholt wiesen die Spieler darauf hin, daß sie wüßten,
daß Mozart alles im Kopf hätte, daß sie es aber auf dem
Notenblatt haben müßten. Endlich ließ sich Mozart Noten- 10
papier ins Theater bringen und schrieb alles während der
Proben aus dem Gedächtnis für sie nieder.

Seine unregelmäßige Komponiermethode zeigte sich
auch darin, daß er die Ouvertüre bis zuletzt [18] unvollendet
ließ. Vergeblich baten ihn die Duscheks, seine Frau Con- 15
stanze und der Leiter der Operntruppe, Bondini, etwas
weniger [19] zu kegeln und diesen für die Aufführung der
Oper so wichtigen Teil fertigzustellen. Erst in der Nacht
vor der Aufführung setzte sich Mozart hin, um die letzten
Noten der Ouvertüre zu schreiben. Dann wurde sie dem 20
Abschreiber übergeben, der nicht wußte, wie er alles rechtzeitig fertigstellen könne.

Die Oper sollte um sieben Uhr beginnen, aber schon
lange vorher rollten die prächtigen Wagen des böhmischen
Adels durch die engen Straßen der Stadt, und das Opern- 25
haus füllte sich schnell. Festlich gekleidete Damen saßen
in den für die Familien der Aristokratie reservierten Logen
und unterhielten sich mit ihren Begleitern, deren reich
geschmückte Röcke für die gewöhnlichen, im Parkett und
im Balkon sitzenden Bürger Prags genau so interessant 30
waren wie die Kleider und Haarfrisuren der adligen Damen.

17 überlegen superior   18 bis zuletzt till the last minute
19 etwas weniger a little less

Es war nach sieben, aber die Oper fing nicht an. Mozart,
der an diesem Abend dirigieren sollte, fehlte noch immer.[20]
Das Publikum wartete mit ungewöhnlicher Geduld, bis
endlich, zwanzig Minuten nach sieben, der Grund für die
5 Verzögerung [21] sichtbar wurde. Mozart erschien atemlos
unter den Musikern und verteilte die fast noch nassen
Notenblätter der Ouvertüre. Dann stellte er sich, von don-
nerndem Applaus empfangen, mit seinem Dirigentenstab
am Klavier auf.
10 Obwohl die Musiker vom Blatt spielen [22] mußten, war
das Publikum von der Ouvertüre begeistert. Dabei [23] verstand es nicht einmal die neuen musikalischen Ausdrucks-
formen. Mozart hatte hier, wie schon in der Oper *Entführung aus dem Serail* [24] die moderne Ouvertüre geschaffen,
15 die als eine Art musikalischer Prolog das kommende Musikdrama einführt. Als die Ouvertüre zu Ende war, dauerte es
eine Weile, bis der erste Akt beginnen konnte, denn die
Prager applaudierten so lange. So eine Musik hatten sie
seit dem *Figaro* nicht gehört.
20 Endlich ging der Vorhang auf: Leporello, Don Juans
Diener, geht ungeduldig auf und ab. Er beginnt zu singen:
„Notte giorno faticar . . .“ (Keine Ruh' bei Tag und
Nacht). Das Prager Publikum, wie das europäische Publikum überhaupt,[25] erwartete nichts anderes, als daß Opern
25 auf italienisch gesungen wurden, denn Oper und Italienisch waren damals synonyme Begriffe. Daß hier ein Deutscher auf diesem Gebiet ein Meisterwerk geschaffen hatte,
sah auch das Prager Publikum nicht ganz, denn eine deutsche Nationaloper bedeutete ihm nichts.
30 Um so mehr bemühte sich Mozart, eine deutsche Nationaloper zu schaffen, um Deutschland auch auf diesem

[20] noch immer still (*emphatic*)   [21] die Verzögerung delay
[22] (vom Blatt spielen to play at sight)   [23] Dabei Yet
[24] Entführung aus dem Serail *Abduction from the Seraglio*
[25] überhaupt in genera.

Gebiet musikalischer Leistungen in der Welt angesehen zu machen. Trotz alledem konnte er das Vorurteil [26] seiner Zeitgenossen nicht überwinden, die die italienischen Opernkomponisten für unübertreffbare Meister hielten. Am kaiserlichen Hofe in Wien war der Hofkomponist, 5 der im musikalischen Leben alles zu sagen hatte, nicht Mozart, sondern der damals in ganz Europa berühmte Italiener Salieri. Dieser Salieri war Mozarts Feind. Er hatte durch seine Intrigen beinahe [27] die Aufführung von Mozarts Oper *Figaro* verhindert. Als die Oper dann endlich 10 doch aufgeführt wurde, überredete er die Sänger, falsch zu singen. Schließlich schickte Kaiser Joseph von seiner Loge eine Warnung auf die Bühne, die Sänger sollten ihr Bestes tun oder sie würden sofort entlassen. Wie sehr Salieri seinen vom Glück weniger begünstigten Rivalen Mo- 15 zart beneidete und haßte, kann man auch daraus erse- hen,[28] daß er es für nötig hielt, auf dem Totenbett zu schwören, er habe Mozart nicht vergiftet [29] und sei also an dessen [30] frühem Tode unschuldig.

Welch ein Unterschied zwischen Wien und Prag! Hier 20 in Prag hatte Mozart begeisterte Zuhörer und Sänger, die sich selber übertrafen,[31] um der Oper ihren wohlverdien- ten Erfolg zu sichern. Daß aber hier eine der größten Opern vor ihnen auf der Bühne erschien, das wußten selbst [32] die Prager nicht, für die der „Don Juan" eine ausgezeich- 25 nete Oper neben, nicht über, den zeitgenössischen italie- nischen Opern war. Unsere Zeit urteilt da anders, wie die Welterfolge Mozartscher Opern beweisen, die von allen Werken seiner Zeit den Opernspielplan allein beherrschen.

Aus Berichten seiner Zeit können wir leicht sehen, daß 30 damals auch die Musikkenner keine der wirklichen musi-

---

[26] (das **Vorurteil** prejudice)   [27] **beinahe** almost
[28] **kann man auch daraus ersehen** we can also infer from the fact
[29] (**vergiften** to poison)   [30] **dessen** the latter's
[31] (sich **selber übertreffen** to outdo oneself)   [32] **selbst** even

kalischen Neuerungen Mozarts erkannt hatten. Kein Wort
z.B. von der musikalischen Charakterisierungskunst, mit
der Mozart jede Person des Musikdramas zeichnet, in der
er weit über Gluck [33] hinausgeht, der Ähnliches gewollt
5 hatte. Nur die auffallenden [34] dramatischen Effekte erkann-
ten sie und fanden sogar ihre uns heute naiv erscheinende
Freude an der reinen Handlung, am Libretto.

Seien wir aber nicht ungerecht! [35] Es muß zugegeben [36]
werden, daß die dramatische Wirkung der letzten beiden
10 Szenen heute wie damals stark ist: Don Juan sitzt beim
Gastmahl, von Mädchen umgeben, ohne Sorge, ohne
Furcht, nur für den Genuß [37] lebend. Er hat das Standbild [38] des von ihm erschlagenen alten Grafen eingeladen,
und mit donnernden Tritten erscheint der Marmorkoloß.
15 Vergeblich versucht der gespenstische [39] steinerne Gast
seinen Mörder Don Juan, den Rebellen gegen Menschengesetz und Gottes Gebote, zur Reue [40] zu bewegen. Weder
die Stimme des Himmels noch das Geheul der auf ihn
wartenden Hölle können seinen titanischen Trotz brechen.
20   Als der Vorhang im Prager Nationaltheater fiel, war das
Publikum einen Augenblick lang stumm, die tragische
Musik hatte sie tief erschüttert. Dann aber brach ein Beifall los, wie ihn das Prager Nationaltheater noch nicht gehört hatte. Man hörte Rufe wie: „Viva Maestro" und „Mo-
25 zart auf die Bühne". Mozart trat auf die Bühne und versuchte zu sprechen, aber der Lärm war immer noch zu
groß. Blumen flogen auf ihn zu, die Sänger umarmten ihn.
Er war sprachlos. So eine begeisterte Aufnahme hatte nicht
einmal sein *Figaro* gefunden. In den letzten Jahren war
30 überhaupt der Beifall oft ziemlich schwach gewesen.

Früher, als der Vater mit dem vierzehnjährigen Wol-

[33] Gluck *18th century German composer*   [34] auffallend striking
[35] Seien wir nicht ungerecht! *s.* #6b   [36] zugeben to admit
[37] der Genuß enjoyment   [38] (das **Standbild** statue)
[39] (gespenstisch ghostly)   [40] die **Reue** repentance

ferl [41] nach Italien reiste, war es freilich [42] anders gewesen.
Die Italienreise war ein Triumph geworden. Alle staunten
über das junge, ausländische Genie, das mit vierzehn
Jahren Opern im italienischen Stile schrieb. Und noch
früher, als der Vater mit ihm und der Schwester durch 5
Europa reiste! Ein sechsjähriger Junge war er damals
gewesen, der auf dem Klavier phantasierte [43] wie ein
erwachsener Virtuos. Maria Theresia, die Kaiserin von
Österreich, hatte ihn geküßt und ihn mit den kleinen Prinzessinnen spielen lassen, von denen er Marie Antoinette 10
am liebsten mochte. [44] Sie war jetzt Königin von Frankreich, und der kleine Mozart hatte damals ihrer Mutter
gesagt, daß er sie heiraten werde. Versailles—London. Wie
sich die Aristokraten um das Vergnügen stritten, das Wunderkind in ihren eigenen Salons Klavier spielen zu lassen! 15
Warum ist es für ein reifes Genie so viel schwerer, aner-
kannt zu werden, als für ein Wunderkind? Wollte das
Publikum nur Sensationelles? Aber nein, das war zu pessi-
mistisch. Er hatte es ja [45] beim Dirigieren gefühlt, was für
einen tiefen Eindruck seine Musik auf das Prager Pu- 20
blikum gemacht hatte.
Als der Beifallssturm etwas schwächer wurde, sagte Mozart, während ihm die Tränen über die Wangen liefen:
„Meine Prager Freunde verstehen mich."
Die Prager hatten ihn verstanden. Bondini aber, der 25
geschäftliche Leiter der Oper, zahlte Mozart trotz dieses
großen Erfolges nur die für eine größere Oper übliche
Summe—450 Gulden. [46] Wie wenig das ist, wird uns klar,
wenn wir bedenken, daß Mozart mit diesen 450 Gulden
nur die Jahresmiete für seine Wohnung bezahlen konnte. 30
Die Ausbeutung [47] der damaligen Künstler durch Verleger

---

[41] **Wolferl** *pet name for* Wolfgang   [42] **freilich** to be sure
[43] (**phantasieren** to improvise)   [44] **am liebsten mochte** liked best
[45] **ja** to be sure   [46] **Gulden** guilder, *monetary unit at Mozart's time*
[47] die **Ausbeutung** exploitation

und Theaterdirektoren ist einem modernen Menschen, der im Zeitalter der Copyright-Gesetze lebt, fast unverständlich. Bondini war nicht zufrieden mit dem großen Gewinn, den er an Mozarts Oper gemacht hatte. Er wollte die günstige Lage ausnutzen, und dazu brauchte er eine neue Oper von einem anderen großen Künstler. So wandte er sich an Haydn.[48] Dieser aber antwortete, daß er mit Mozart weder wetteifern [49] könne noch wolle, und beklagte sich in bitteren Worten darüber, daß weder die Österreicher noch die Deutschen wüßten, was Mozart für die Kunst und Kultur dieser Länder bedeute. Es sei eine Schande, daß Mozart noch an keinem kaiserlichen oder königlichen Hofe eine feste Stellung gefunden habe.

Hatte man auch [50] den *Don Juan* in Prag verstanden, so war dies in Wien keineswegs der Fall. Erst verzögerten [51] Mozarts Feinde die Aufführung ein halbes Jahr lang, dann, als sie am 7. Mai 1788 schließlich in Wien stattfand, mißfiel [52] sie. Kaiser Josef sagte über den Mißerfolg des *Don Juan* in Wien: „Die Oper ist göttlich, vielleicht noch schöner als *Figaro,* doch das ist keine Speise für die Zähne meiner Wiener." Als Mozart dies hörte, soll er gesagt haben: „Lassen wir ihnen Zeit zu kauen!" [53]

Don Juan war Mozarts zwanzigste Oper, und die Welt musikalischer Meisterwerke, die dieser kleine schwächliche Mann bis jetzt geschaffen hatte, sollte trotz aller Armut und Sorgen um die eigene Gesundheit und die Gesundheit seiner Frau noch um manches Stück bereichert werden, wie um die *Zauberflöte* [54] und das *Requiem,* von dem sein Freund Haydn sagte: „Wenn Mozart auch nichts anderes geschrieben hätte als seine Violinquartette und sein Requiem, würde er allein dadurch schon unsterblich

---

[48] Haydn *18th century Austrian composer*   [49] **wetteifern** to compete
[50] **Hatte man auch den** *Don Juan* . . . **verstanden;** *s.* #8c
[51] (**verzögern** to delay)   [52] **mißfallen** to be disliked
[53] "Let's give them time to chew it!"   [54] **Zauberflöte** *Magic Flute*

geworden sein." Das berühmte Requiem hatte Mozart für sich selber geschrieben, denn er wußte, daß seine Tage gezählt waren.

Er wußte das schon seit langem. Das Erstaunliche am Charakter dieses Genies ist, daß er den Helden der unge- 5 bändigten,[55] ungeheuren Lebenskraft, Don Juan, verherrlichen konnte, als er selber von Todesahnungen [56] erfüllt war. Als Mozart den *Don Juan* schrieb, wußte er, daß er jung sterben werde. Und seine Ahnungen waren richtig. 1791 starb er, erst 35 Jahre alt, von Arbeit und Sorgen 10 entkräftet. Er hinterließ so viele Schulden, daß nicht einmal das Geld zu einem bescheidenen Begräbnis da war,[57] und er infolgedessen in einem Massengrab für Arme begraben werden mußte.

Wer mit Mozarts Lebensgeschichte bekannt ist, muß 15 Mitleid mit der dauernden Not eines Mannes fühlen, der die abendländische Kultur in unermüdlicher Schöpferkraft mit Opern und Symphonien, Sonaten und Kantaten beschenkt hat. Er muß sich über die Stumpfheit [58] der großen und kleinen Zeitgenossen entrüsten,[59] die, um wieder mit 20 Haydn zu sprechen, wenig taten, um „ein solches Kleinod [60] in ihren Ringmauern zu besitzen." Man tut damit aber den Zeitgenossen Unrecht. Von den Zeitgenossen eines großen Mannes verlangen, daß sie ihn mit den Augen der Nachwelt sehen, heißt in unserem Falle vom durch- 25 schnittlichen Opern- und Konzertbesucher das musikalische Verständnis eines Haydn erwarten.

Man sollte auch nicht vergessen, daß sich das Leben eines großen Künstlers nicht von seinem Werk trennen läßt. Mag es auch paradox klingen—Mozarts Schulden, 30 seine Krankheiten, der Neid der anderen Komponisten, die

---

[55] (ungebändigt untamed)
[56] (die **Todesahnung** presentiment of death)
[57] da war was available   [58] (die **Stumpfheit** dullness)
[59] (sich **entrüsten** be indignant)   [60] (das **Kleinod** gem)

Stumpfheit der Zeitgenossen, mit einem Wort, die ganze
Tragik seines Lebens hat an seiner Musik und besonders
am *Don Juan* Anteil gehabt.

In der Musik des *Don Juan* spricht die ewig unbefrie-
5 digte, aber nie entmutigte Seele Mozarts zu uns; sie spricht
von ihren Schmerzen und ihrer Einsamkeit, aber auch von
ihren Triumphen und ihrer Lebensfreude. Der leise Un-
terton des Schmerzes gibt dem Werk seine eigenartige
Schönheit, die heute noch das Opernpublikum der Welt-
10 städte begeistert, wie es einst das Rokokopublikum Prags
begeistert hat.

EXERCISES

A. Questions

1. Wie zeigte sich die Popularität der Mozartschen Oper
   Figaro?
2. Welche Rolle spielte die Villa Bertramka in Mozarts Leben?
3. Warum fanden sich in Mozarts Don Juan Manuskripten
   fast keine Korrekturen?
4. Welche für einen Komponisten nicht sehr inspirierende Arbeit mußte Mozart auf sich nehmen?
5. Warum war es ein Vorteil für die Sänger, daß Mozart selber
   die Proben leitete?
6. Warum können wir die Komponiermethode Mozarts „un-
   regelmässig" nennen?
7. Was gab es in den Logen Interessantes zu sehen?
8. Warum kam Mozart zu spät zur Erstaufführung?
9. Wie zeigte der Italiener Salieri Mozart seine Feindschaft?
10. Warum kann man sagen, daß unsere Zeit Mozarts Opern
    über die seiner italienischen Zeitgenossen stellt?
11. Wer waren die Zuhörer des sechsjährigen Virtuosen Mo-
    zart?
12. Welchen Vorwurf macht Haydn den Zeitgenossen Mozarts?
13. Warum darf man die Zeitgenossen Mozarts nicht zu schwer
    dafür tadeln, daß sie das große schöpferische Genie in ihrer
    Mitte nicht verstanden?

B. Vocabulary Review

1. die Erwartung
2. das Geheimnis
3. der Lärm
4. der Bericht
5. die Probe
6. der Vorteil
7. der Unterschied
8. der Zweck
9. die Schöpfung
10. der Beifall
11. das Vergnügen
12. die Ausbeutung
13. das Zeitalter
14. die Schande
15. die Stellung
16. das Mitleid
17. die Geduld
18. ungeduldig
19. der Zeitgenosse
20. zeitgenössisch
21. klingen
22. zählen
23. zahlen
24. bezahlen
25. genießen
26. der Genuß
27. beherrschen
28. sich beklagen
29. sich bemühen
30. beobachten
31. besitzen
32. geschehen
33. erobern
34. retten
35. schaffen
36. fehlen
37. feiern
38. stattfinden
39. urteilen
40. zugeben
41. einführen
42. überlegen
43. überreden
44. langweilen
45. schlank
46. sauber
47. eng
48. lebhaft
49. ungenügend
50. atemlos
51. begeistert
52. auffallend
53. ausländisch
54. üblich
55. günstig
56. bescheiden
57. unermüdlich
58. vergeblich
59. wirklich
60. ziemlich
61. schließlich
62. plötzlich
63. außerhalb
64. beinahe
65. anderseits
66. gleich
67. also
68. damals
69. deshalb
70. sogar
71. keineswegs
72. infolgedessen
73. noch nie
74. im Gegenteil
75. mit einem Male
76. nicht einmal

77. um so mehr   79. weder . . . noch
78. im allgemeinen   80. wochenlang

C. Practice Sentences

1. Kaiser Josef hätte Mozart helfen können; er tat es aber nicht.
2. War die Oper *Don Juan* in Prag auch mit großem Erfolg aufgeführt worden, so bedeutete das keineswegs, daß sie den Wienern gefallen mußte.
3. Auf der modernen Opernbühne müssen Opern wochenlang eingeübt werden, selbst wenn der Komponist selber die Proben leitet.
4. Nicht einmal die Prager verstanden das Neue an Mozarts Oper; um so mehr muß man den Mut dieses Mannes bewundern, der trotzdem die Welt noch mit manchem Meisterwerk bereichern sollte.
5. Das Briefeschreiben war eine Kunst im achtzehnten Jahrhundert.
6. In Deutschland werden viele Opern und Theaterstücke im Freien aufgeführt.
7. Den Berichten der Zeitgenossen nach entwickelte sich in den Jahrzehnten nach Mozarts Tode ein wahrer Mozartkult.
8. Es muß immer wieder darauf hingewiesen werden, daß das Publikum damals diese Oper anders verstand als wir.
9. Kaiser Joseph ließ den Sängern sagen, sie sollten richtig singen, wollten sie nicht sofort entlassen werden.
10. Der kleine Mozart war damals eine an allen Höfen Europas willkommene musikalische Sensation.

✦ 6 ✦

RÖNTGEN

Der Entdecker „einer neuen Art von Strahlen"

Im Gaslicht seines Laboratoriums untersuchte Professor
Röntgen noch einmal sorgfältig den schwarzen Pappmantel [1] der elektrischen Glasröhre, die vor ihm auf dem langen
Laboratoriumstisch stand. Dann schrieb er in sein Tagebuch: Freitag, 8. November 1895—Wiederholung der Ex- [5]
perimente von Hertz und Lenard. Die Lichtundurchlässigkeit des Röhrenmantels [2] wird geprüft.—Er trat ans Fenster. In der tiefen Finsternis konnte er nicht einmal die
Bäume sehen, die im Garten des Physikalischen Instituts
wuchsen; irgendwo in der Ferne sangen Würzburger [3] Stu- [10]
denten auf dem Nachhauseweg durch die nächtlichen Straßen der Stadt. Professor Röntgen zog die schweren Vor-
hänge zu, schaltete den Strom ein und drehte das Gas aus.
Die elektrischen Entladungen [4] knatterten, und die eva-
kuierte Röhre glühte, aber kein einziges Lichtpünktchen [15]
war in der Dunkelheit des Laboratoriums sichtbar. Der
schwarze Pappmantel sollte kein Licht durchlassen, und
Professor Röntgen, der sein eigener Laboratoriumstechni-

[1] (der **Pappmantel** cardboard casing)
[2] (der **Röhrenmantel** tube-casing)
[3] **Würzburger** of the University of Würzburg
[4] (die **Entladung** discharge)

79

ker war, hatte seine Versuchsapparatur wie immer mit der größten Sorgfalt hergestellt.[5]

Er trat von dem Tisch zurück, um das Gas wieder anzu drehen, als er in einiger Entfernung von der Glasröhre
5 einen flackernden Lichtschimmer sah. Lange stand Professor Röntgen still und beobachtete die seltsame Erscheinung. Er erkannte, daß das Licht von einem lichtempfindlichen Papierschirm [6] kam, den er für eine spätere Phase des Versuchs brauchte und vorläufig auf einen Tisch in
10 der Nähe der Wand gestellt hatte. Auch darüber, daß die Ursache der Fluoreszenz in dem elektrischen Apparat zu suchen war, konnte kein Zweifel bestehen, denn der fluoreszierende Schirm leuchtete im Rhythmus der Entladungen auf. Stunden vergingen, jeder Teil des elektrischen
15 Apparates wurde aufs genauste [7] untersucht. Schließlich wurde es ihm klar: Die Vakuumröhre war die einzig mögliche Quelle der Fluoreszenz. Einen Schritt vor seiner großen Entdeckung zauderte [8] der Entdecker. Der Schluß, den er aus den Tatsachen ziehen mußte, glich einer
20 Wahnidee,[9] aber als exakter Wissenschaftler glaubte er den Tatsachen und nicht seinen Theorien über die Natur und ihre Grenzen. Er hielt ein Buch zwischen die Röhre und den Schirm. Die Fluoreszenz bestand weiter, nur um weniges verdunkelt. Nun gab es keinen Zweifel mehr: In
25 der Röhre war eine neue bis jetzt unbekannte Art von Strahlen entstanden, die durch die Papphülle dringen konnten und die Fluoreszenz des Schirmes verursachten.

Nun galt es [10] festzustellen, ob diese Strahlen alle lichtundurchlässigen Körper durchdringen konnten. Professor
30 Röntgen, Leiter des Physikalischen Instituts der Universität Würzburg, einer der größten Präzisionsphysiker seines

[5] her-stellen to prepare   [6] (der Papierschirm paper screen)
[7] aufs genauste most carefully   [8] zaudern to hesitate
[9] (glich einer Wahnidee was like a wild fancy)
[10] galt es it was a question of

Jahrhunderts, schauderte, als er auf dem Schirm das Schattenbild seines Handskeletts im helleren Schatten des
durchleuchteten Fleisches sah. Er schauderte in dem
Gefühl, eine Grenze der Menschheit durchbrochen zu
haben, und er schauderte vor Glück, dem hohen Glück, 5
das nur dem Entdecker beschieden ist.[11] Röntgen hat uns
gesagt, was er in dieser Nacht fühlte. Er fand den Ausdruck für dieses Gefühl in den Memoiren des großen In-
genieurs Werner von Siemens: „Das geistige Leben
schenkt uns manchmal vielleicht die reinste und größte 10
Freude, deren der Mensch fähig ist. Wenn irgendeine
Erscheinung, die lange verborgen [12] war, plötzlich in das
Licht der Erkenntnis tritt, wenn das fehlende Glied [13] einer
Gedankenkette glücklich gefunden ist, so gibt das dem
Entdecker das erhebende Gefühl, das einen geistigen Sieg 15
begleitet und das alleine für alle vorhergehenden Kämpfe
und Mühen schadlos halten [14] kann und ihn auf eine höhere
Ebene [15] der Existenz hebt."
Auf dieser höheren Ebene der Existenz lebte Röntgen
während der Wochen, die nun folgten. Er aß und schlief 20
in seinem Laboratorium, um ununterbrochen das Wesen
der von ihm entdeckten Strahlen erforschen zu können.
Der Außenwelt verriet [16] er nichts von seiner großen Entdeckung. Seiner Frau und seinem besten Freunde, dem
Zoologen Bovari, sagte er nur, er habe etwas „Interes- 25
santes" entdeckt, wisse aber noch nicht, ob seine Beobachtungen richtig seien. Seine beiden Assistenten durften den
Neugierigen nur sagen, daß ihr Professor Experimente mit
Kathodenstrahlen aus Vakuumröhren mache. Das war
nichts Besonderes, denn mit Kathodenstrahlen beschäftig- 30
ten sich viele Physiker gegen Ende des 19. Jahrhunderts.

---

[11] (beschieden ist is allotted to)   [12] verborgen p.p. concealed
[13] das Glied link   [14] (schadlos halten to compensate)
[15] die Ebene plane   [16] verraten to disclose

Erst sieben Wochen nach seiner Entdeckung trat Röntgen mit einem Bericht an die Öffentlichkeit.[17] Am 28. Dezember 1895 händigte er dem Präsidenten der Physikalisch-Medizinischen Gesellschaft von Würzburg sein 5 Manuskript ein, das den bescheidenen Titel hatte: „Übeı eine neue Art von Strahlen". Da sich das Wesen dieser Strahlen mit den Mitteln der damaligen Wissenschaft nicht feststellen ließ, schlug Röntgen in seiner Veröffentlichung vor,[18] sie X-Strahlen, also unbekannte Strahlen, zu 10 nennen. Diese Bezeichnung hat sich in vielen nichtdeutschen Ländern, z.B. in Amerika, durchgesetzt. In Deutschland heißen die Strahlen Röntgenstrahlen nach der Sitte der Naturwissenschaftler, der vergeßlichen Menschheit die Namen ihrer Wohltäter dadurch ins Gedächtnis zu-15 rückzurufen,[19] daß Entdeckungen nach dem Entdecker benannt werden.

Röntgen wies schon in dieser ersten Veröffentlichung über die neuen Strahlen darauf hin, daß sich damit photographische Aufnahmen machen ließen, und er selbst hatte 20 schon höchst bedeutsame „Röntgenaufnahmen" gemacht. An erster Stelle ist da die Aufnahme eines Handskeletts zu nennen, die er am 22. Dezember 1895 mit Hilfe einer lebenden Hand, der seiner Frau, machte und an einen befreundeten [20] Wiener Arzt schickte. Damit waren der medizinischen Wissenschaft die Wege gewiesen, und es dauerte 25 nischen Wissenschaft die Wege gewiesen, und es dauerte nicht lange, bis diese von dieser neuen Entdeckung Gebrauch machte. Schon im nächsten Jahre kaufte die englische Regierung mehrere Röntgenapparate, die den Militärärzten für die Nilexpedition desselben Jahres mitgege-30 ben wurden. Sie dienten zur Diagnose von Knochenbrüchen, hauptsächlich aber zum Auffinden von Geschoßtei-

[17] trat . . . an die Öffentlichkeit appeared before the public
[18] vor-schlagen to propose to
[19] ins Gedächtnis zurückzurufen to remind (a person of a thing)
[20] befreundet with whom he was on friendly terms

len im Körper der Soldaten, und machten das schmerzhafte
Sondieren [21] der Wunden unnötig. Zu den ersten Aufnahmen Röntgens gehört auch die
eines Metallstücks, dessen Strukturfehler im Röntgenbild
deutlich zu sehen sind. Von großer Wichtigkeit war auch [5]
Röntgens Aufnahme seines geladenen Jagdgewehres.[22]
Die Lage des Geschosses im Lauf,[23] sowie kleine Be-
schädigungen im Laufe des Gewehres, erschienen deutlich auf dieser frühen Photographie.

Selbstverständlich sahen die Ingenieure und Direktoren [10]
der großen Industriebetriebe sofort, von welchem Nutzen
diese neue Erfindung für die Industrie sein würde. Es
fehlte natürlich nicht [24] an Versuchen, Röntgen zum Verkauf seiner wichtigen Erfindung zu überreden. Die amerikanische Industrie machte ihm fabelhafte Angebote. Rönt- [15]
gen wollte aber von der wirtschaftlichen Ausbeutung
seiner Erfindung nichts wissen.[25] Er gab der Welt seine
Erfindung, ohne wirtschaftlichen Nutzen daraus zu ziehen.[26] Ein glänzendes Angebot der A.E.G. (Allgemeinen
Elektrizitätsgesellschaft), die alle zukünftigen Entdeckun- [20]
gen und Erfindungen des Würzburger Professors aufkau-
fen wollte, lehnte der große Mann mit der Erklärung ab,[27]
es sei die Tradition der deutschen Universitätsprofessoren,
daß ihre Erfindungen und Entdeckungen der Menschheit
und nicht einer einzelnen Gruppe gehörten. [25]

Um die Jahrhundertwende schrieb H. Münsterberg in
einem Aufsatz „The X-Rays", der in der amerikanischen
Zeitschrift „Science" erschien: „Es ist weltbekannt, daß
die physikalischen Laboratorien Deutschlands keine Fenster haben, die nach dem Patentamt gehen." [28] Röntgen [30]

[21] (das **Sondieren** probing)   [22] das **Jagdgewehr** hunting gun
[23] (der **Lauf** barrel)   [24] **Es fehlte nicht an** There was no lack of
[25] **wollte . . . nichts wissen von** did not wish to have anything to do with
[26] **ziehen** *here* to derive   [27] **ab-lehnen** to decline
[28] **gehen** *here* to open

hat es oft genug gesagt, daß die Freude des Entdeckers, das Bewußtsein,[29] die Menschheit etwas weitergebracht zu haben, der schönste Lohn für seine Mühe sei. Als die preu-
5 ßische Akademie der Wissenschaften den fünfundsieb- zigjährigen Gelehrten in einer Ansprache[30] ehrte, freute er sich besonders über den Hinweis[31] des Redners, daß er durch seine Erfindung und durch das selbstlose Ge- schenk, das er der Menschheit gemacht hatte, im Welt- krieg so vielen verwundeten Soldaten auf deutscher und
10 alliierter Seite das Leben gerettet habe.

Röntgen, der Wissenschaftler, schätzte übrigens unter seinen Arbeiten nicht die Entdeckung der Strahlen, son- dern des nach ihm benannten Röntgenstromes am höch- sten ein,[32] womit er eine der Grundlagen der modernen
15 Elektrodynamik geschaffen hatte. Auch in dieser Ein- schätzung zeigt sich der reine Wissenschaftler, dem die Strahlen nur als physikalisches Problem wichtig waren, und der ihre technische Weiterentwicklung anderen über- ließ.

20 Unter Röntgens 58 wissenschaftlichen Veröffentlichun- gen sind nur drei den von ihm entdeckten Strahlen ge- widmet.[33] In diesen drei Veröffentlichungen hat Röntgen aber so gründliche Arbeit geleistet, daß auf zwei Jahr- zehnte hinaus[34] kein Physiker etwas wesentlich Neues
25 dem von Röntgen Gesagten hinzufügen konnte. Erst kurz vor dem zweiten Weltkrieg gingen Barkla in England und Laue, Friedrich und Knipping in Deutschland über die Ar- beit Röntgens hinaus.[35] Die grundlegenden neuen Er- kenntnisse dieser Forscher erklärten die Natur der Rönt-

[29] das Bewusstsein knowledge   [30] die Ansprache address
[31] (der Hinweis reference)   [32] (ein-schätzen to rate)
[33] widmen to devote
[34] auf zwei Jahrzehnte hinaus for more than two decades
[35] hinaus-gehen über to go beyond

genstrahlen. Sie bewiesen, daß diese sehr kurzwelliges
Licht sind, ein Licht, dessen Wellenlänge etwa zehntau-
sendmal kleiner als die des sichtbaren Lichtes ist.

Aus dem bisher Gesagten geht schon hervor,[36] daß Röntgens Entdeckung in der Welt der Naturwissenschaft und 5
Technik begeisterte Aufnahme fand. Ganz ohne Enttäuschungen war aber auch dieser Triumph nicht. Auch
Röntgen mußte etwas von dem Neid und der Bosheit spüren, mit der die Mittelmäßigkeit sich schon immer an den
großen Männern gerächt hat. Immer wieder erschienen in 10
den Zeitungen Berichte, ein Laboratoriumsassistent habe
die Fluoreszenz des Schirmes bemerkt und den Herrn Professor darauf aufmerksam gemacht. Der eigentliche Entdecker sei also dieser Mann. Manche wußten sogar den
Namen des Assistenten, Weber. Daß dieser Weber erst 15
fünf Jahre nach der Entdeckung in Röntgens Laboratorium angestellt[37] wurde, störte das Fortbestehen dieses
dummen Märchens nicht im geringsten.

Andere behaupteten, die Entdeckung sei ein reiner Zufall gewesen und hätte von jedem gemacht werden können, 20
der mit Vakuumröhren experimentierte. Es waren allerdings schon viele Jahre vor der Entdeckung Störungen
beobachtet worden, die auf die später entdeckten Strahlen
zurückzuführen sind, aber kein Forscher hatte diese Störungen untersucht. Was den Zufall anbetrifft,[38] so muß 25
man betonen, daß der nur die e i n e Seite der Entdeckung
ist. Millionen Menschen waren zufälligerweise anwesend,
als Äpfel von Bäumen fielen, aber nur Newton sah das
Gesetz der Schwerkraft wirken, als er zufällig einen Apfel
vom Baume fallen sah. 30
Auch unter den Gelehrten gab es namentlich[39] in Eng-

---

[36] geht . . . hervor follows   [37] an-stellen to employ
[38] Was . . . anbetrifft As for   [39] namentlich especially

land einige, die Röntgens Prioritätsanspruch nicht gelten ließen.[40] So sollte z.B. Sir William Crookes, der Erfinder der nach ihm benannten Vakuumröhre, der eigentliche Entdecker sein. Crookes hatte schon 1879 bemerkt, daß
5 photographische Platten, die bei Experimenten in der Nähe seiner Kathodenröhren lagen, neblige Flecken aufwiesen. Crookes erkannte den Zusammenhang aber nicht, sondern beschwerte sich bei den Fabrikanten [41] der Platten.
   Als die Royal Society den beiden Deutschen Lenard und
10 Röntgen die Rumford Medaille verlieh,[42] erschien Lenards Name an erster Stelle. Eine Zeitlang sprach man in England auch von den „New Lenard Rays". Gewiß waren Lenards Versuche mit Kathodenstrahlen die Voraussetzung [43] für Röntgens Entdeckung, aber Lenard ist
15 Röntgens Vorgänger, wie Hertz und von Helmholtz Lenards Vorgänger gewesen waren, und so könnte man bis zu Ohm, Volta und Galvani, den Vätern der Elektrizitätslehre zurückgehen. Auch daß Lenard und viele andere die Röntgenstrahlen für eine Art Kathodenstrahlen hielten,
20 half Lenard zu dieser unverdienten Bevorzugung.[44] Dabei [45] hatte Röntgen schon 1896 klar bewiesen, daß seine X-Strahlen von den Kathodenstrahlen grundverschieden waren.
   Die gelegentlichen Angriffe der Presse oder das Mißver-
25 ständnis gelehrter Zeitgenossen kränkte Röntgen tief. „Die Leute tun ja, als ob ich mich wegen der Entdeckung der Strahlen zu entschuldigen hätte," rief er einmal beim Lesen eines Zeitungsartikels, der einen sinnlosen Angriff auf seinen Entdeckerruhm gemacht hatte.
30 Daß für das allgemeine Publikum die Entdeckung der Strahlen eine Sensation war, versteht sich,[46] wie auch, daß

---

[40] nicht gelten ließen did not admit
[41] (der Fabrikant manufacturer)   [42] (verleihen bestow)
[43] die Voraussetzung premise   [44] die Bevorzugung favoritism
[45] Dabei Besides   [46] versteht sich stands to reason

die Zeitungen das Erstaunliche der Entdeckung gewaltig
übertrieben. Solche übertriebenen Berichte verursachten
zum Teil recht komische Reaktionen. Die Photographen
z.b. dachten ernsthaft über die Frage nach, ob sich ihre
Kunden in der Zukunft „mit" oder „ohne" würden photo- 5
graphieren lassen, d.h. mit oder ohne Knochen. Ein be-
sorgter Staatsmann in New Jersey wollte ein Gesetz ein-
führen, das den Gebrauch von Röntgenstrahlen in Opern-
gläsern verbieten sollte. Eine ähnliche Furcht des Publi-
kums vor dem Durchschautwerden [47] kommt in der Re- 10
klame zum Ausdruck, die eine Londoner Firma für ihre
Unterkleidung machte, die „X-ray-proof" sein sollte.
Weniger phantastisch, aber doch überraschend waren
andere Publikumsreaktionen. Königin Amelia von Portugal z.B. ließ Röntgenaufnahmen von mehreren ihrer Hof- 15
damen machen, um ihnen die schädliche Wirkung des
Schnürens [48] auf den Knochenbau und die inneren Organe
zu zeigen. Fräulein Francis E. Willard, Führerin der Ab-
stinenzlerbewegung in den Vereinigten Staaten, erhoffte
ähnliche medizinisch reformatorische Wirkungen von 20
Röntgenbildern, die Trinkern und Rauchern den schäd-
lichen Einfluß des Alkohols und Tabaks auf Leber und
Lunge klar vor Augen führen [49] würden.

Wie immer bei großen Entdeckungen, die die Grenzen
der Menschheit erweitern, so fehlte es auch hier nicht an 25
religiösen Protesten, die von verbotenen Blicken hinter den
Vorhang sprachen, den der sterbliche Mensch nicht heben
dürfe. Moralisten sprachen von der Schamlosigkeit, die
dazu gehöre,[50] anderer Leute Knochen im lebenden
Körper anzuschauen. Nur entfernt verwandt mit diesen 30
fanatischen Übertreibungen ist der Schauer, den auch

[47] (vor dem Durchschautwerden of being looked through)
[48] (das Schnüren lacing)
[49] vor Augen führen make (a person) see
[50] die dazu gehöre which was required

heute noch jeder sensitive Mensch beim Anblick eigener oder fremder Skeletteile im Fluoroskop empfindet. Eine eindrucksvolle Schilderung [51] solcher Empfindungen enthält die Szene in Thomas Manns *Der Zauberberg,* in der
5 der Held Hans Castorp zum ersten Male die Wunder des Röntgenapparates am eigenen Leibe und an dem seines Freundes und Vetters Joachim Ziemssen erfährt.

Bei jeder großen Leistung des menschlichen Geistes fragt man sich: Wie entsteht menschliche Größe? Ist es eine
10 Naturanlage,[52] sind es Kräfte, die in den Eltern vorhanden waren und durch eine besonders günstige Kombination gesteigert wurden? War die Umgebung des heranwachsenden Kindes besonders günstig? War die historische Stunde für diese spezielle Entdeckung gekommen, d.h. bot
15 das Jahrhundert diesem speziellen Talent besondere Entfaltungsmöglichkeiten? Das sind die alten Fragen, die sich jeder stellt, der über die Lebensgeschichte eines großen Menschen nachdenkt, und die—in unserem Zeitalter wenigstens—keiner beantworten kann. Alles, was sich von
20 Röntgen sagen läßt, läßt sich prinzipiell auch von vielen seiner Zeitgenossen sagen, deren mittelmäßige Leistungen sie nie aus der Anonymität ins Licht geschichtlicher Betrachtung hoben.

Röntgen ist ein Sohn des guten alten deutschen Bürger-
25 tums,[53] dieser arbeitsamen tüchtigen Klasse, aus der jahrhundertelang die Träger der deutschen Kultur kamen.

> Wo kam die schönste Bildung her
> Und wenn sie nicht vom Bürger wär'?

sagte Goethe, selber der Sohn einer alten deutschen Bür-
30 gerfamilie. Röntgens Vater war Kaufmann und Tuchfa-

---

[51] die **Schilderung** description
[52] (die **Naturanlage** natural disposition)
[53] das **Bürgertum** middle classes

brikant [54] in Lennep im Rheinland, wo seine Vorfahren [55]
als Kaufleute und Handwerker ihre kinderreichen Familien
ernährt hatten. Auch Röntgens Mutter stammte aus einer
alten Lenneper Familie von Kaufleuten. Die Großmutter
Röntgens mütterlicherseits lebte in Holland und war 5
italienischer Abstammung. Als Röntgen drei Jahre alt war,
zog die Familie zu holländischen Verwandten nach Apel-
doorn. Da man von dem jungen Röntgen erwartete, daß
er das Geschäft seines Vaters übernehmen werde, besuchte
er eine Privatschule und nicht das Gymnasium, wo haupt- 10
sächlich klassische Sprachen gelehrt wurden. Bald zeigte
es sich, daß der Schüler Röntgen ein ausgesprochen tech-
nisches Talent besaß, und es wurde beschlossen, er solle
Ingenieur werden. Da ereignete sich [56] eine der im neunzehnten Jahrhundert nicht seltenen Schultragödien. Ein 15
Mitschüler zeichnete die Karikatur eines Lehrers; der
Lehrer entdeckte das „Verbrechen", aber nicht den „Verbrecher", und verlangte von Röntgen den Namen des
Schuldigen. Röntgen weigerte sich,[57] seinen Freund zu
verraten, und wurde aus der Schule geworfen. Er versuchte 20
nun, sich zu Hause auf die Aufnahmeprüfung [58] an der
Universität vorzubereiten, aber da er in nichttechnischen
Fächern [59] schwach war, fiel er durch. Damit war ihm alle
Hoffnung auf ein Universitätsstudium genommen. Er erfuhr aber, daß das Züricher Polytechnikum naturwissen- 25
schaftlich begabte Schüler auch ohne Gymnasialbildung
aufnehme. In Zürich war sein Lehrer in Physik der glänzende Experimentalphysiker Kundt, der den unentschlos-
senen Studenten des Ingenieurwesens [60] leicht überredete,
Physiker zu werden.   30

[54] (der **Tuchfabrikant** cloth-manufacturer)   [55] der **Vorfahr** ancestor
[56] sich **ereignen** happen   [57] sich **weigern** to refuse
[58] (die **Aufnahmeprüfung** entrance examination)   [59] das **Fach** subject
[60] das **Ingenieurwesen** civil engineering

Als Kundts Assistent kam Röntgen nach Würzburg, aber
trotz Kundts Einfluß und der glänzenden Leistungen des
jungen Assistenten, weigerte sich die Universität, ihm
einen akademischen Titel zu verleihen, da Personen ohne
5 Gymnasialbildung nicht zur akademischen Laufbahn zu-
gelassen werden sollten. Es war eine Ironie des Schicksals,
daß Röntgen später als einer der besten seines Faches [61]
die Professur in Würzburg annahm und durch seine große
Entdeckung den Ruhm dieser Universität in der Welt ver-
10 breitete.

Hier begann Röntgen eine Reihe wichtiger physikali-
scher Arbeiten zu veröffentlichen, die seinen Namen bald
so bekannt machten, daß die größten damaligen Physiker
in Deutschland, von Helmholtz und Kirchhoff, eine Pro-
15 fessur für ihn an der Universität Gießen durchsetzten. [62]
Inzwischen [63] hatte Röntgen sich mit einer Verwandten
des Dichters Otto Ludwig, seiner Züricher Studentenliebe
Bertha Ludwig, verheiratet, mit der er fünfzig Jahre in
kinderloser aber glücklicher Ehe leben sollte.

20   Als Röntgen von Gießen nach Würzburg als Leiter des
dortigen physikalischen Instituts berufen wurde, war er
bereits einer der größten Physiker seiner Zeit. Nach seiner
großen Entdeckung häuften [64] sich aber die Ehren und
Angebote, und Röntgen wählte München auf die dringende
25 Bitte der bayrischen Regierung. Von 1900–1920 leitete er
das Physikalische Institut der Universität. Exzellenz, Geheimrat, [65] Professor Dr. Wilhelm Conrad Röntgen war
jetzt auf der Höhe seines Ruhmes, aber er blieb der be-
scheidene doch stolze Gelehrte trotz aller hohen Ehren.
30 Das Wörtchen „von" zu seinen vielen Titeln hinzuzufügen,
lehnte der Sohn einer alten bürgerlichen Familie ab.

---

[61] das **Fach** field   [62] (**durch-setzen** to succeed in obtaining)
[63] **Inzwischen** Meanwhile   [64] (sich **häufen** to increase)
[65] (**Exzellenz, Geheimrat** Excellency, Privy Councillor)

Röntgens Idealismus, seine hohe Auffassung von der geistigen Würde seines Berufes, kommt am schönsten in
seinen akademischen Ansprachen zum Ausdruck. Die Bedeutung der Universität liege in der Förderung der Wahrheit und der Erziehung junger Menschen zu streng wissen- 5
schaftlichem Denken und nicht in dem materiellen
Nutzen, der oft das Resultat wissenschaftlicher Forschung
ist.

Diesen Idealen ist Röntgen sein ganzes Leben treu geblieben. Als im Jahre 1901 Nobelpreise zum ersten Mal 10
verliehen wurden, erhielt er als erster Physiker den Nobelpreis. Das Preisgeld, 50 000 schwedische Kronen, hinterließ er der Universität Würzburg. Von Stockholm nach
Hause zurückgekehrt, sagte er in einer Ansprache in Bezug
auf den ihm zuerkannten [66] Preis: „Verglichen mit der in- 15
neren Befriedigung über ein erfolgreich gelöstes Problem
verliert jede äußere Anerkennung ihre Bedeutung."

Diese innere Befriedigung hat Röntgen oft empfunden,
denn in den fast fünfzig Jahren seiner beruflichen Tätigkeit hat er nach Umfang und Wert [67] eine gewaltige Ar- 20
beitsleistung vollbracht. Schon seine ersten Veröffentlichungen über die spezifische Wärme der Luft aus der
Würzburger und Straßburger Assistentenzeit bei Kundt
zeigen ihn als einen Meister des Experiments. Dabei mußte
er mit uns heute recht primitiv erscheinenden Mitteln ar- 25
beiten, aber er verstand es, übersehene Fehlerquellen zu
entdecken und die letzte Dezimale festzustellen. Ein Blick
auf die lange Liste seiner Veröffentlichungen zeigt auch
dem Laien, daß er kein einseitiger Spezialist war. Da sind
Veröffentlichungen, die sich mit der Apparatur für physi- 30
kalische Experimente befassen,[68] und theoretische Ar-

[66] zu-erkennen to award
[67] nach Umfang und Wert as regards volume and importance
[68] sich befassen to have to do

beiten über Kristallphysik, Elastizitätslehre, Elektrizitätslehre usw.

In Röntgens Privatleben finden wir dieselbe Energie und
Vielseitigkeit. Der hochgewachsene kräftige Mann mit
5 dem ernsten Gelehrtengesicht sah allerdings wie ein Professor aus, aber während der Universitätsferien verwandelte sich der Herr Geheimrat in einen unermüdlichen
Bergsteiger, scharfäugigen Jäger und naturliebenden Wanderer. Fast alle seine Ferien verbrachte [69] er mit Mün-
10 chener Freunden in Oberitalien, in der Schweiz und Oberbayern. In Bayern hatte er sogar ein schönes Jagdhaus,
wohin er seine Freunde zur Jagd [70] einlud.

Wie die meisten großen Naturwissenschaftler seines
Jahrhunderts war auch Röntgen ein kultivierter Mensch
15 mit literarischen und künstlerischen Interessen. Er las viel,
wenn er auch in seiner Lektüre Biographien, Reisebücher,
Briefsammlungen, also die realistischeren Werke der Literatur, bevorzugte.[71]

Auch diesem Leben auf der Höhe der Menschheit blieb
20 die Tragik nicht erspart. Die letzten Lebensjahre seiner
Frau waren Leidensjahre für sie. Schließlich brauchte sie
fünf Einspritzungen [72] täglich, um die Schmerzen ertragen
zu können, und Röntgen gab ihr diese Einspritzungen mit
mehr Geschick [73] als die behandelnden Ärzte. Nach dem
25 Tode seiner Frau feierte der einsame alte Mann jeden ihrer
Geburtstage vor ihrem Bild, und oft las er ihr besonders
wichtige Briefe vor, wie er das zu tun gewohnt [74] war, als
sie noch lebte. Als Röntgen 1923 im Alter von 78 Jahren
starb, war seine Welt vollkommen zusammengebrochen.
30 Das Wilhelminische [75] Deutschland, dessen Aufstieg und

[69] verbringen to spend   [70] zur Jagd to go hunting
[71] bevorzugen to prefer   [72] (die Einspritzung injection)
[73] das Geschick skill   [74] gewohnt sein to be accustomed to
[75] Wilhelminisch of Emperor Wilhelm II (1888–1918)

Glanzzeit [76] in die besten Jahre seines Lebens fielen, war
zertrümmert. [77] Der deutsche Name, zu dessen Ruhm auch
er nicht wenig beigetragen hatte, war in der Welt
mißachtet. Röntgen wußte um die sozialen und kulturellen
Schwächen dieses Wilhelminischen Zeitalters, aber die 5
Leiden des Krieges, der politische und militärische Zusam-
menbruch und das Chaos der Nachkriegsjahre erschüt-
terten ihn aufs tiefste.

Es ist von symbolischer Bedeutung, daß der Nobelpreis,
den der idealistische Gelehrte der Würzburger Universität 10
hinterließ, zu einer lächerlichen Riesensumme entwertet
wurde, die nur auf dem Papier existierte. So hatten sich der
Glanz und die Hoffnungen der Jahrhundertwende in nichts
aufgelöst. Der Idealismus dieser letzten Tat Röntgens aber
ist nicht entwertet worden, denn sein Idealismus war nicht 15
zeitgebunden. Röntgens Glaube an die Wahrheit und die
Würde des denkenden Menschen, der sie zu erfassen sucht,
wird bestehen, solange die Menschheit seine große Entdeckung versteht, solange es eine menschliche Kultur gibt.

EXERCISES

A. Questions

1. Was wollte Röntgen in der vollkommenen Dunkelheit des
   Laboratoriums feststellen?
2. Welche Erscheinung verriet die Existenz der mysteriösen
   Strahlen?
3. Wo wurde die erste Durchleuchtung einer menschlichen
   Hand gemacht?
4. Was für Experimente führten zur Entdeckung der neuen
   Strahlen?
5. Was bedeutet das X in der Bezeichnung X-Strahlen, die
   Röntgen selber vorschlug?

[76] die **Glanzzeit** most brilliant period   [77] **zertrümmern** to destroy

6. Welche Röntgenaufnahme wurde für die medizinische Wissenschaft besonders wichtig?
7. Warum kaufte die englische Regierung mehrere Röntgenapparate?
8. Warum wollte Röntgen von der wirtschaftlichen Ausbeutung seiner Erfindung nichts wissen?
9. Wie erklären Barkla und Laue die Natur der Röntgenstrahlen?
10. Was hatte der Neid und die Bosheit einiger Zeitgenossen zu der großen Entdeckung zu sagen?
11. Was bedeuteten die nebligen Flecke auf Crookes' photographischen Platten?
12. Was war der Zweck der Röntgenaufnahmen am Hof der Königin von Portugal?
13. Was bedeutet es, wenn Historiker oder Biographen sagen: Die historische Stunde für diese Entdeckung war gekommen?
14. Wie kam es, daß Röntgen vom Studium des Ingenieurwesens zu dem der Physik überging?
15. Warum war es eine Ironie des Schicksals, daß Röntgen in Würzburg seine große Entdeckung machte?
16. Was galt Röntgen mehr als Ehren und Anerkennungen?
17. Was ist die symbolische Bedeutung der Entwertung des Nobelpreises, den Röntgen 1901 erhalten hatte?

B. Vocabulary Review

1. die Forschung	15. der Nutzen
2. die Beobachtung	16. die Ehre
3. die Umgebung	17. das Angebot
4. die Betrachtung	18. der Ausdruck
5. die Anerkennung	19. die Ursache
6. die Befriedigung	20. der Versuch
7. der Wohltäter	21. die Sorgfalt
8. die Tatsache	22. sorgfältig
9. die Zeitschrift	23. der Zufall
10. der Bericht	24. zufällig
11. die Stelle	25. zufälligerweise
12. der Zweifel	26. entdecken
13. das Wesen	27. der Entdecker
14. die Sitte	28. die Entdeckung

29. empfinden
30. die Empfindung
31. stammen aus
32. die Abstammung
33. dauern
34. sich weigern
35. wählen
36. beobachten
37. sich beschäftigen
38. beschließen
39. verursachen
40. verraten
41. verlangen
42. vergleichen
43. erfassen
44. erfahren
45. sich entschuldigen
46. beitragen
47. überreden
48. übertreiben
49. untersuchen
50. ablehnen
51. sich vorbereiten
52. feststellen
53. hinzufügen
54. zukünftig
55. seltsam
56. bescheiden
57. deutlich
58. gründlich
59. neugierig

60. sichtbar
61. begeistert
62. gelegentlich
63. besorgt
64. ähnlich
65. überraschend
66. schädlich
67. tüchtig
68. damalig
69. vergeblich
70. einzeln
71. vorläufig
72. übrigens
73. hauptsächlich
74. irgendwo
75. eigentlich
76. sogar
77. allerdings
78. namentlich
79. wenigstens
80. inzwischen
81. Arbeit leisten
82. noch einmal
83. nicht einmal
84. immer wieder
85. nicht im geringsten
86. anwesend sein
87. halten für
88. es versteht sich
89. in Bezug auf
90. es gibt

C. Practice Sentences

1. Das Wesen dieser Strahlen, deren Existenz nun entdeckt worden war, sollte erst viel später verstanden werden.
2. Da sich mit den der damaligen Wissenschaft zur Verfügung stehenden Mitteln keine Erklärung der Strahlen finden ließ, nannte sie Röntgen „X-Strahlen".
3. Die Gelehrten, die sich mit dieser Erscheinung beschäftig-

ten und die, die sich nicht mehr damit beschäftigten, da sie eine Erklärung gefunden zu haben glaubten, stritten sich jahrelang in ihren Journalen, bis Dupinages Entdeckung diesem Streit ein Ende setzte.

4. Es läßt sich der Grund für diese Erscheinung durch Experimente leicht feststellen.

5. In einem anderen von Schneider entdeckten alten Manuskript findet sich die Beschreibung eines sehr alten und interessanten Experiments.

6. Lassen Sie sofort eine Röntgenaufnahme vom Arm des Patienten machen!

7. Es fehlte natürlich nicht an neidischen Kollegen, die von einem Zufallsfund sprachen, um Röntgens Ruhm zu entwerten.

8. Röntgen ist ein typischer Sohn des an großen Erfindern und Entdeckern reichen neunzehnten Jahrhunderts.

9. Nun gab es zwar gewisse Phänomene, die auf die Existenz der Strahlen hinwiesen, aber keiner der Forscher, die sich mit Kathodenstrahlen beschäftigten, kümmerte sich um sie.

10. Durch Röntgenaufnahmen ließ sich das schmerzhafte Sondieren der Wunden vermeiden, da die Lage von Geschoßteilen im Körper nun leicht festzustellen war.

✣ 7 ✣

SPENGLER

Der Untergang des Abendlandes

Ehe ein Historiker anfängt, Geschichte zu schreiben, muß er einige wesentliche Fragen beantworten können, die ins Gebiet der Geschichtsphilosophie gehören, wie: Was ist wichtig genug unter all den vielen Geschehnissen unserer Welt, um in die Geschichte einzugehen? Ist Ge- 5 schichte bloße Bewegung, oder ist sie Bewegung auf ein Ziel hin?[1] Hat sie also einen Sinn? Wer oder was macht Geschichte? Was ist eine Kultur? Warum gehen große Kulturen unter?

Die Historiker verschiedener Zeiten und Völker haben 10 diese Fragen verschieden beantwortet. Die Ägypter z.B. hielten es für historisch wichtig, wie viele Löwen und Wildstiere Pharaoh auf diesem oder jenem Jagdzug erlegt hatte und berichteten es für die Zukunft. Auf die Frage, wer oder was macht Geschichte, antwortet in unserer Zeit 15 der Autor eines vielgelesenen Buches: es sei die Krankheit. Eins seiner vielen Beispiele ist der Sieg der kommunistischen Bewegung in Rußland, dessen letzten Grund er in der Krankheit des Zarensohnes sieht, der ein Bluter[2] war. Nur Rasputin[3] konnte dem kranken Knaben Er- 20

[1] auf . . . hin directed toward
[2] der Bluter bleeder, hemophiliac
[3] Rasputin *Russian court favorite, posing as a monk* (*1871–1916*)

leichterung geben; die dankbare Zarin überhäufte [4] den
üblen Mönch mit Ehren; sein Einfluß bei Hofe wurde immer stärker und führte schließlich zur Revolution.
  Das eben gegebene Beispiel mag auf den ersten Blick
5 überzeugend wirken. Es liegt ihm aber eine Geschichtsphilosophie zugrunde,[5] die sehr fraglich ist. Die Krankheit, die ja zufällig und vom Menschen nicht geplant ist,
zum herrschenden Einfluß in der Geschichte machen, bedeutet, den Zufall zum Herrscher der Geschichte machen.
10 Nun ist es zwar denkbar, daß der Zufall die Welt regiert;
aber man kann gegen diese Annahme [6] auch überzeugende
Gründe vorbringen, die den menschlichen Willen und die
menschliche Intelligenz zum Kraftzentrum der Geschichte
machen. Pascals [7] Bemerkung sei hier als Kritik dieser Phi-
15 losophie erwähnt, die dem Zufall eine so hohe Bedeutung
gibt: Wäre Kleopatras Nase kürzer gewesen, so sähe die
ganze Welt heute anders aus.
  In keinem Zeitalter hat man sich in Laienkreisen und in
der gelehrten Welt so intensiv mit geschichtsphilosophi-
20 schen Fragen befaßt,[8] wie in unserem, dessen weltweite,
historische Katastrophen auch den naiveren Mitbürgern
die Hamletklage aufzwingen: „Die Welt ist aus den Fugen." [9] Leider gibt es auf die vielen besorgten Fragen nur
höchst widerspruchsvolle [10] Antworten. Liest man z.B. die
25 Bücher, Aufsätze und Reden, die sich mit der Frage befassen, warum es in unserem modernen aufgeklärten Zeitalter Kriege gibt, so erhält man die folgende chaotische
Liste von Kriegsgründen: Ehrgeiz,[11] Bosheit, Wahnsinn
oder Dummheit der verantwortlichen Staatsmänner und

---

[4] (überhäufen to overwhelm)   [5] es liegt ihm zugrunde it is based on
[6] die Annahme assumption
[7] Pascal French philosopher (1623–1662)
[8] sich befassen mit to concern oneself with
[9] (ist aus den Fugen is out of joint)
[10] widerspruchsvoll contradictory   [11] der Ehrgeiz ambition

Politiker, das Problem der Arbeitslosigkeit, der militaristi-
sche Instinkt gewisser Rassen, falsche Jugenderziehung,
Nietzsches Philosophie, die Philosophie der Romantiker,
Rohstoffmangel,[12] Handelsinteressen, Profitgier der Kriegsgewinnler,[13] Mangel an Lebensraum usw.   5
   Da ist es verständlich, daß ein wahrhaft großer Geschichtsphilosoph in unseren Tagen ein williges Ohr findet.
Wahrhaft große Geschichtsphilosophen sind aber selten,
denn philosophisches Genie und eine gründliche Kenntnis
der historischen Tatsachen finden sich nicht leicht bei ein 10
und demselben Gelehrten.
   Unter den Geschichtsphilosophen unseres Jahrhunderts
haben zwei eine große Zahl von Anhängern oder, sollen wir
sagen, Gläubigen gefunden, Spengler und Toynbee. Spenglers Werke waren von großem Einfluß in der Zeit nach 15
dem ersten Weltkriege; Toynbees Werke erschienen kurz
vor dem zweiten Weltkrieg. Spenglers Philosophie oder
wenigstens einige seiner Gedanken sind philosophisches
Gemeingut [14] geworden und in den Sprachschatz [15]
Deutschlands und auch nichtdeutscher Länder einge- 20
drungen, was um so erstaunlicher ist, da das Endresultat
von Spenglers Philosophieren ein durchaus pessimistisches
ist. Spengler glaubt das Ende der abendländischen Kultur
voraussagen zu können, wie man den Tod eines organischen
Wesens voraussagen kann. Der einzige Trost, den er für 25
die weiße Menschheit hat, ist das Motto seines Buches, ein
Spruch des Stoikers Seneca: „Ducunt volentem Fata, no-
lentem trahunt"—Wer freiwillig geht, den führen die
Schicksalsgöttinnen, den Widerstrebenden schleppen sie.[16]
   Toynbee hat eine positivere Auffassung der mensch- 30
lichen Geschichte, wie das bei seiner religiösen Betrach-

12 der Rohstoffmangel lack of raw material
13 (der Kriegsgewinnler war-profiteer)
14 das Gemeingut common property   15 der Sprachschatz vocabulary
16 (den Widerstrebenden schleppen sie the one who resists they drag)

tungsweise zu erwarten ist. Ob Toynbee recht hat oder
Spengler, ist damit natürlich nicht bewiesen. In den letzten
Jahrzehnten haben die geschichtlichen Ereignisse Spengler recht gegeben, wer aber auf die Dauer [17] von den bei-
5 den recht hat, wird erst eine Zukunft lehren, die die Leser
dieses Aufsatzes kaum noch erleben werden.

Trotz seines nihilistischen Endresultats wurde Spenglers
Werk in viele Sprachen, darunter die arabische, übersetzt.
Das ganze gebildete Abendland wurde mit seinem Werk
10 bekannt und reagierte mit blinder Verehrung, die in
Spengler den größten Philosophen des Zeitalters sah, oder
mit erbitterter Kritik, die aus ihm einen der falschen Propheten machte, dessen Einfluß dem Wiederaufbau euro-
päischer Kultur schade.

15   Viele Jahre sind seit dem Erscheinen der beiden Bände
des Spenglerschen Werkes (1918, 1922) vergangen, und
Spengler hat inzwischen in Lob und Tadel gerechtere Beurteilung gefunden. Noch heute sind seine Bücher von großer
Bedeutung auf dem Gebiet der Geschichtsphilosophie und
20 wurden bis zur Jahrhundertmitte, bis zum Bekanntwerden
Toynbees, auch in Amerika viel gelesen und oft zitiert. Bei
den meisten der Laien, die Spengler loben oder verurteilen,[18] ist die Bekanntschaft allerdings zweiter Hand,
denn die beiden Bände des Spenglerschen Werkes ent-
25 halten mehr als tausend Seiten und setzen ihrer Gedankenfülle wegen einen geduldigen und geschichtlich sowohl
wie philosophisch gut geschulten Leser voraus.[19]

Wenn hier nun der Versuch gemacht wird, einige
Grundgedanken des Spenglerschen Werkes zu erklären, so
30 sollte sich der Leser immer darüber im klaren sein, daß er
nur mit einigen, nicht mit allen wichtigen Gedanken

---

[17] **auf die Dauer** in the long run   [18] **verurteilen** to condemn
[19] **voraus-setzen** to presuppose

Spenglers bekannt gemacht wird, und daß dies nur in großen Umrissen [20] geschehen kann.

Spengler glaubt, eine Morphologie der Geschichte entdeckt zu haben, in anderen Worten, ein Entwicklungsgesetz, dem alle Hochkulturen unterworfen [21] sind. Da wir 5 die Endphasen untergegangener Kulturen kennen, die viel älter sind als das Abendland, muß es nach Spengler möglich sein vorauszusagen, welche Endphasen unserer Kultur bevorstehen. Der erste Band des Spenglerschen Geschichtswerkes beginnt: „In diesem Buch wird zum ersten Mal der 10 Versuch gewagt, Geschichte vorauszubestimmen. Es handelt sich darum,[22] das Schicksal einer Kultur, und zwar [23] der einzigen, die heute auf diesem Planeten in Vollendung begriffen ist,[24] der westeuropäisch-amerikanischen, in den noch nicht abgelaufenen Stadien zu ver- 15 folgen."

Will man Spenglers Werk in den Grundzügen verstehen, so muss man zunächst feststellen, was neu in seiner Betrachtungsweise ist. Spengler steht in scharfem Gegensatz zu zwei wesentlichen Standpunkten in der Geschichts- 20 philosophie des Abendlandes, die sich bei angesehenen Gelehrten, aber auch im Denken des geistigen sowie des durchschnittlichen Menschen finden. Diese Standpunkte sind, in kurzen Formeln ausgedrückt, erstens: Alle Geschichte ist Heilsgeschichte,[25] d.h. sie führt zur vollkom- 25 menen oder teilweisen Erlösung des Menschen von allem Übel; zweitens: Was auch immer [26] geschieht, vollendet sich in Europa.

Der Gedanke der Heilsgeschichte geht auf das christ-

---

[20] (in großen Umrissen in outline)   [21] unterwerfen to subject
[22] es handelt sich um it is a question of   [23] und zwar that is
[24] in Vollendung begriffen ist is progressing toward completion
[25] (die Heilsgeschichte history of salvation)
[26] was auch immer whatever

liche Denken zurück, das im Reich Gottes auf Erden das
Ziel der geschichtlichen Entwicklung sah. Dieses religiöse
Ziel wurde seit der Renaissance zugunsten [27] weltlicher
Ziele verdrängt.[28] In allen abendländischen Geschichts-
5 philosophien fand sich der Gedanke, daß die Geschichte
eine ständige Entwicklung auf eine bessere Zukunft hin
sei. Diese bessere Zukunft soll eine Zeit des Friedens und
der wiedergewonnenen Unschuld sein und hat nach der
Weltanschauung der Historiker verschiedene Namen: Der
10 Weltstaat der Vernunft und vollkommenen Aufklärung;
das Reich der technischen Vollendung ohne Armut und
ohne Krieg; die klassenlose Gesellschaft; oder ein Weltstaat, in dem die einzelnen Staaten in einer Föderation
friedlich zusammen leben.

15   Es war ein Grundgedanke der Hegelschen Geschichtsphilosophie, daß alles für die Menschheit Wichtige in Europa entstehe oder sich in Europa vollendet habe. Bei der
ersten Behauptung dachte Hegel etwa an die Erfindung
der Dampfmaschine, bei der zweiten etwa an das Christen-
20 tum, das ja erst in Rom und Nordeuropa die Form angenommen hat, in der es die nicht-europäische Welt kennengelernt hat. Sagt man heute Abendland anstatt Europa, so
ist Hegels Überzeugung noch immer die Überzeugung der
großen Mehrheit der weißen Völker. Der abendländische
25 Mensch nimmt es als selbstverständlich an, daß Athen und
Rom, die Zentren klassischer und christlicher Kultur, auf
denen die abendländische Kultur beruht, die Grundlagen
aller wahren Kultur sein müssen. Je nach [29] der Nationali-
tät des Denkers, Staatsmannes oder Durchschnittsbürgers
30 wird als dritte Grundlage noch Paris, Madrid, London
oder Weimar hinzugefügt. Aus diesem Glauben an die
Weltsendung [30] der abendländischen Kultur stammt ja

27 zugunsten in favor of   28 (verdrängen to displace)
29 Je nach Depending upon   30 (die Weltsendung world mission)

auch das Überlegenheitsgefühl, mit dem der weiße Abendländer den Rest der Welt beurteilt, bereist, bekriegt und
kolonisiert.

Spengler verneint energisch die Weltsendung der abendländischen Kultur. Diese ist ein riesiger Organismus wie 5
jede andere Kultur und muß als Organismus altern, kann
sich also nicht endlos weiterentwickeln. Es ist nach Spengler unsinnig, Kulturen miteinander zu vergleichen, da es
keinen überkulturellen Maßstab [31] gibt. Die Menschheit ist
für Spengler nur eine Abstraktion, nicht ein Wertbegriff,[32] 10
wie ja auch der Begriff Tier nur eine Abstraktion und kein
Wertbegriff ist. Man kann die Gazelle und den Tiger an
keinem beiden gemeinsamen Maßstabe messen und dem
einen oder anderen Lebewesen den Vorrang [33] geben. Wer
sagt, der Tiger sei schöner oder ein besseres Tier als die 15
Gazelle, drückt nur ein subjektives Werturteil [34] aus. Genau so wenig kann man nun nach Spengler die chinesische
Kultur etwa mit der abendländischen vergleichen. Es gibt
keine Stufenordnung [35] unter den verschiedenen Hochkulturen, die auf unserem Planeten existiert haben und noch 20
existieren. Eine solche Hochkultur ist für Spengler, wie
schon gesagt, ein sehr komplexer Riesenorganismus, dessen
Wesen,[36] wie das Wesen eines Tieres oder einer Pflanze
weder erklärt noch kritisiert werden kann.

Spengler sieht in der Weltgeschichte das Vorkommen [37] 25
von acht Kulturen, deren letzte unsere abendländische Kultur ist. Er schließt die japanische Kultur nicht in diese acht
ein, da Japan in seinen Anfängen eine chinesische, in seiner
späteren Entwicklung nur eine amerikanische Kultur-
kolonie sei. Die acht Kulturen erscheinen im Zeitraum der 30
letzten fünftausend Jahre, und ihr Erscheinen ist nach

[31] der Maßstab standard   [32] der Wertbegriff concept of value
[33] (der Vorrang precedence)   [34] das Werturteil judgement of value
[35] die Stufenordnung graduated order   [36] das Wesen *here* essence
[37] das Vorkommen occurrence

Spengler ein kosmisches Ereignis wie die Entstehung eines
Sternes oder des Lebens auf unserem Planeten. Für
menschliche Betrachtung ist dieses ziemlich plötzliche Erscheinen zufällig, ein tieferer Sinn läßt sich nicht dafür
5 finden.

Um 3000 v. Chr. entstehen die beiden ältesten Kulturen,
die ägyptische am unteren Nil und die babylonische am
unteren Euphrat. Die nächste Kultur, die indische, entsteht um 1500 v. Chr. im Pandschab. Pandschab ist das
10 indische Wort für „Fünf Ströme". Die Uferländer [38] dieser
fünf Ströme sind der mütterliche Boden, auf dem die indische Kultur wächst. Die chinesische Kultur, die etwa
1400 v. Chr. am mittleren Huangho, dem zweiten Hauptstrom Chinas, entsteht, ist wiederum eine Flußkultur. Es
15 sei bei dieser Gelegenheit erwähnt, daß Spengler diesem
Umstand [39] wenig Aufmerksamkeit schenkt.[40] Er macht im
allgemeinen wenig Gebrauch von den zu seiner Zeit schon
sehr bekannten Zusammenhängen zwischen Geographie
und Geschichte. Geopolitische Gedanken liegen seiner Be-
20 trachtung fern.[41] Die antike Kultur, die uns von den vergangenen Kulturen am bekanntesten ist, und der Spengler
die meisten Beispiele entnimmt, entsteht um 1100 v. Chr.
am Ägäischen Meer. Zu Beginn unserer Zeitrechnung soll
nach Spengler die arabische Kultur entstanden sein. Diese
25 Kultur wird in der Geschichtswissenschaft gewöhnlich
nicht als eine einheitliche Kultur aufgefaßt, und es gibt deshalb auch keinen allgemein gebrauchten Namen dafür.
Spengler faßt unter arabischer Kultur die kulturellen und
politischen Ereignisse zusammen, die in den Städten Jeru-
30 salem, Byzanz, Bagdad vor sich gingen.[42] Auf dem amerikanischen Kontinent entstand die sogenannte mexikani-

---

[38] das **Uferland** shore land   [39] der **Umstand** circumstance
[40] **Aufmerksamkeit schenken** to devote attention to
[41] **liegen . . . fern** do not enter into   [42] **vor sich gehen** to take place

sche Kultur, deren Frühzeit Spengler ins dritte und vierte
vorchristliche Jahrhundert setzt. Die historischen Denk-
mäler der Mayakultur und der aztekischen Kultur sind
dank der Zerstörungswut der Conquistadores und ihrer
Banden äußerst spärlich,[43] und so wird man sich wohl nie 5
über das Ursprungsdatum der mexikanischen Kultur
einigen können. Das Zeitalter Karls des Großen [44] bedeutet
für Spengler den Beginn der abendländischen Kultur, die
demgemäß im 9. Jahrhundert in Westeuropa begann.

In diesen acht Kulturen sieht Spengler ein Entwick- 10
lungsgesetz, das biologischer Natur ist, da es sich hier um
Wachstum und Tod handelt.[45] Spengler führt hier Gedanken fort, die der große Geschichtsphilosoph des 18.
Jahrhunderts, Goethes Freund Herder, zuerst in größerem
Maßstab für geschichtliche Betrachtungen angewandt [46] 15
hatte. Auch Herder sprach von der „Jugend" der Völker,
als wären sie Organismen.

In allen Hochkulturen sieht Spengler vier Entwicklungs-
stufen, die er mit den Namen der Jahreszeiten bezeichnet.
Der Frühling ist das Anfangsstadium, die Zeit, wo die Kul- 20
tur aus ihrer mütterlichen Landschaft emporwächst und
sich aus den chaotischen oder primitiven Zuständen der
Vorzeit losmacht. Im Frühling ihres Lebens erschaffen sich
die Hochkulturen eine Mythe als Ausdruck eines neuen
Gottesglaubens. So vergleicht Spengler die arischen 25
Heldensagen der Inder, die homerischen Epen und die
europäischen Ritterepen [47] sowie das Nibelungenlied [48]
der Deutschen miteinander.

[43] (spärlich meager)
[44] Karl der Große, Charlemagne, *Emperor of the West and king of the Franks* (768–814)
[45] es handelt sich um are involved   [46] an-wenden to apply
[47] das Ritterepos knightly epic
[48] das Nibelungenlied *German epic of 12th century, dealing with Siegfried, the Burgundians, and Kriemhild's revenge at Attila's court*

Die Heldensagen der arischen Eroberer Indiens entstanden zwischen 1500 und 1200 v. Chr.; die Homer zugeschriebenen [49] Epen zwischen 1100 und 800 v. Chr.; das
Nibelungenlied und die europäischen Ritterepen im
5 zwölften Jahrhundert n. Chr.[50] Trotz dieser gewaltigen
Zeitabstände nennt Spengler diese mythisch heroischen
Literaturschöpfungen „gleichzeitig". Mit diesem Begriff
will er darauf hinweisen, daß etwas in derselben „Jahreszeit" der verschiedenen Kulturen geschehen ist, zu einer
10 Zeit also, in der sie auf der gleichen Entwicklungsstufe
standen.

Der Sommer bringt ein klareres Bewußtsein, das sich in
den nun entstehenden Städten entwickelt. Anstatt der rein
religiösen Welterklärung beginnt jetzt die philosophisch-
15 kritische Welterklärung. „Gleichzeitig" sind hier die vor-
sokratischen griechischen Philosophen des sechsten und
fünften Jahrhunderts und in der abendländischen Entwicklung Männer wie Galilei, Bacon, Descartes und Leibniz aus dem sechzehnten und siebzehnten Jahrhundert.
20 Spengler führt seine Analogien für alle acht Kulturen aus,
soweit ihm das die historische Überlieferung gestattet. In
diesem Aufsatz werden im allgemeinen nur seine Beispiele
aus der Antike zum Vergleich verwendet,[51] da die Namen
und Ereignisse aus anderen Kulturen dem Leser zu unbe-
25 kannt sein dürften.

Der Höhepunkt streng rationalen Denkens, die Aufklärung, beginnt im Herbst. Den Sophisten und Sokrates
entsprechen [52] die englischen Sensualisten wie Locke und
Voltaire und die französischen Enzyklopädisten. Jetzt
30 herrscht der Glaube an die Allmacht des Intellekts, und infolgedessen finden sich jetzt auch die großen mathemati-

---

[49] **Homer zugeschriebenen** attributed to Homer
[50] **n. Chr.** = **nach Christus** A.D.   [51] **verwenden** to use
[52] **entsprechen** correspond to

schen Genies. Den Mathematikern zur Zeit Platos stellt
Spengler Männer wie Euler, Lagrange und Laplace gegenüber.

Der Winter der Hochkultur ist eine Zeit des Absterbens,
die nicht mehr den Namen Kultur verdient. Spengler nennt 5
diese Zeit die Zeit der Zivilisation. Im Deutschen hatte das
Wort Zivilisation schon vor Spengler einen negativen Sinn.
Zivilisation im allgemeinen Sprachgebrauch bedeutet eine
Kultur, die bei aller äusseren Verfeinerung und technischen
Vollendung seelenlos ist. 10
In einer Zivilisation besteht ein auffallender Gegensatz
zwischen der hochentwickelten Technik und Organisation
und dem Tiefstand alles dessen, was zum Geistes- und
Seelenleben eines Volkes oder einer Zeit gehört. Auf den
Gebieten der Kunst, des Gesellschaftslebens, der Religion, 15
der Bildung, des Familienlebens herrscht entweder ein
starrer [53] und leerer Formalismus oder Chaos, ja Barbarei.
Ein gutes Beispiel sind die herrlichen prunkvollen [54] Theater unserer Weltstädte, in denen mit wunderbarer Technik
(Beleuchtung, Szenerie usw.) mittelmäßige, sogar wert- 20
lose Stücke aufgeführt werden.

Im Winter der Hochkultur entwickelt sich die Weltstadt
mit ihren ziellos treibenden Massen. Die Formen der Kultur sind nicht länger organisch an eine Landschaft und an
ein bestimmtes Volk gebunden; sie werden international. 25
Die Gladiatorenkämpfe, die die Massen Roms belustigten,
konnte man in Cäsarea, in Alexandria, aber auch in den
kleineren Städten des Weltreiches sehen. Reiche Syrer,
Afrikaner, Gallier bauten ihre Villen im selben Stile wie
römische Regierungsbeamte und verzierten [55] die Wände 30
mit denselben Fresken, die der Reisende heute noch in den
Häusern römischer Patrizier in Pompeji sehen kann. Mo-
dernisiert man Spenglers Beispiele etwas, so kann man auf

[53] (starr stiff)   [54] (prunkvoll showy)   [55] (verzieren to decorate)

den internationalen Unterhaltungswert amerikanischer
Karikaturen wie des Seemanns Popeye oder des Übermen-
schen und auf die heute international gewordene Verehrung von Faustkämpfern, Baseballspielern und „Stars"
5 hinweisen. Auch die internationale Verbreitung der Holly-
wood Filme, des modernen Baustils und des Jazz könnte
hier erwähnt werden.

Als besonders interessante Erscheinung der Spätzeit
erwähnt Spengler die sozialen Bewegungen irreligiöser
10 Natur, die an die Stelle alter Religionen und metaphysi-
scher Denksysteme treten.[56] Sie stammen von einer Denkart, der das Leben selber zum Problem geworden ist. Aus
dem Mitleid mit dem ungeheuren Leiden der Menschheit,
das man in dieser Epoche fast ausschließlich sieht, wächst
15 eine Philosophie, die z.b. in Indien zum Buddhismus mit
seiner Nirwanastimmung [57] (seit etwa 500) geführt hat.
Alles, wonach die Hochkulturen gestrebt haben, wird jetzt
fraglich: Macht, Ehre, ein schönes kraftvolles Dasein,
geistige Verfeinerung, Luxus und Reichtum. In der Welt
20 der Antike ist diese Stimmung durch den international ver-
breiteten hellenistisch-römischen Stoizismus vertreten
(seit 200 v. Chr.). Im Islam breitet sich seit 1000 n. Chr.
ein praktischer Fatalismus aus. „Inshallah"—wenn Allah
es so will—ist sein Schlagwort.[58] Diesen geistigen Bewe-
25 gungen entsprechen nach Spengler die seit 1900 im Abendland sich ausbreitenden sozialistischen Denksysteme und
die vielen Unternehmungen, deren Zweck der Kampf gegen das soziale Elend ist.

Da die Lebenszeit einer Kultur ungefähr tausend Jahre
30 dauert, steht die abendländische Kultur, die, wie erwähnt,
um etwa 900 begann, vor ihrem endgültigen Untergang.

[56] an die Stelle treten to take the place of
[57] (die Nirwanastimmung nirvana-mood)
[58] das Schlagwort catchword

In der Geschichte der Antike haben wir „gleichzeitig"
die imperialistischen Unternehmungen Alexanders und
Roms Vernichtungskrieg gegen die konkurrierende Seemacht Karthago. Der ägyptischen Geschichte entnimmt
Spengler als Beispiel die zwei blutigen Jahrhunderte der 5
sogenannten Hyksoszeit, in der ausländische Generäle als
Diktatoren regierten, und die mit dem Sieg der Herrscher
von Theben endete. (15. und 16. Dynastie). Nach diesen
blutigen Kriegen kommt das Endstadium des „Cäsaris-
mus". Es ist der Sieg der Gewaltherrschaft, der sogar das 10
Geld, d.h. die Wirtschaftsmächte, unterliegt. Die Cäsaren
vereinigen die formlose Bevölkerung in Riesenreichen, die
sie in primitiv despotischen Formen regieren. So war es
im alten Rom nach Augustus, im Ägypten der 18. Dynastie,
und so wird es nach Spengler im Abendland um 2000 sein. 15
Alle Kulturformen verlieren jetzt ihre Vitalität. Beispiele
für dieses entwicklungslose Weiterbestehen sind die stati-
schen Formen der ägyptischen, chinesischen und byzanti-
nischen Kultur. Solch eine greisenhafte [59] Zivilisation ist
reif für die Einfälle der Barbaren oder einer jungen aufstei- 20
genden Hochkultur. Jeder verwegene [60] Führer einer
starken Bande von Berufskriegern hat leichtes Spiel mit
den verweichlichten und degenerierten Bewohnern der
sterbenden Weltstädte. Babylon, Athen, Rom wurden die
Beute von zahlenmäßig weit kleineren Barbarenhorden. 25
Als die Mongolen 1401 Mesopotamien eroberten, bauten
sie ein Siegesdenkmal von 100 000 Schädeln der Bevölkerung von Bagdad, die sich nicht wehren konnte und sich
nicht wehren wollte.
    Die Hochkultur stirbt, aber ihre biologische Grundlage, 30
die Menschen, leben von Generation zu Generation weiter.
Für ihr Weiterbestehen zeigt die Geschichte zwei Möglichkeiten: Eine andere Hochkultur kann die Menschenmassen

[59] (greisenhaft senile)   [60] (verwegen daring)

in sich aufnehmen, wie das z.B. bei der Kultur der Antike beobachtet werden kann, die von der abendländischen Kultur absorbiert wurde. Die zweite Möglichkeit ist das Zurücksinken der Bevölkerung in einen primitiven Zustand. 5 Das beste Beispiel dafür bietet Ägypten mit seiner schon längst ausgestorbenen Hochkultur. Die Fellachen, die vor vielen tausend Jahren in Memphis und Theben in modern aussehenden Weltstädten lebten, hausen heute in fensterlosen Hütten aus Nilschlamm,[61] ernähren sich kümmer-10 lich [62] durch primitivsten Ackerbau und erbetteln hier und da von dem "Herrn," dem Abendländer, ein Almosen. Nach ihnen nennt Spengler die letzte und endgültige Stufe,[63] auf die die Hochkultur herabsinkt, das Fellachentum.[64]

Für Amerikaner ist das beste Beispiel solches Fellachen-15 tums in Mexiko zu finden, wo die Nachkommen der Pyramidenbauer, der Azteken und Mayastämme, ihr primitives Dasein zwischen den Ruinen der Großstädte führen. Dabei sind diese primitiven Indianer nur 500 Jahre von ihren Vorfahren entfernt, die der mexikanischen Hochkultur 20 angehörten.

Bei der riesigen Stoffmasse, die Spengler in seinem Werk verwendet, ist es selbstverständlich, daß er sich hier und da in Einzelheiten geirrt hat. Die Spezialisten haben ihn kritisiert, aber das riesige Gebäude seiner Gedankenwelt 25 bricht nicht zusammen, wenn man ein paar Steine herausnimmt. Eine endgültige Kritik Spenglers kann, wie schon gesagt, nur die Zukunft bringen. Wie bei jeder allumfassenden [65] Philosophie läßt sich auch bei Spengler Wahrheit und Irrtum nicht mehr beweisen, denn vieles in Spenglers 30 Werk ist Meinungssache oder dichterische Vision.

[61] (der Nilschlamm Nile mud)   [62] kümmerlich poorly
[63] die Stufe level
[64] das Fellachentum *a state of cultural primitivism and unproductivity* (do not translate)
[65] allumfassend all-inclusive

Nur zwei kritische Gesichtspunkte seien hier erwähnt.
Es fragt sich,[66] ob höchste und letzte Erkenntnisse menschlicher Dinge ohne Liebe möglich sind. Spenglers kalter
intellektueller Stolz kennt weder Liebe zum Menschen
noch zum Leben. Mit einer gewissen Genugtuung spricht 5
er zu dem alternden Abendland von den Schrecken der
Vernichtung, die ihm noch bevorstehen sollen. Schließlich
fragt es sich auch noch, ob Untergang und Wandlung [67]
dasselbe sind. Goethe, der als Denker so groß war wie als
Dichter, hinterließ uns in einem seiner Gedichte das tapfere 10
und tröstliche Wort:

> Und solang du das nicht hast,
> Dieses: Stirb und werde! [68]
> Bist du nur ein trüber Gast
> Auf der dunklen Erde.   15

EXERCISES

A. Questions

1. Warum wurde Rasputins Einfluß am Zarenhofe immer
   größer?
2. Warum gibt es nicht viele große Geschichtsphilosophen?
3. Welchen Vorwurf machen Spenglers Kritiker diesem Geschichtsphilosophen?
4. Warum findet Spenglers Buch nicht sehr viele Leser?
5. Was für ein Entwicklungsgesetz glaubt Spengler entdeckt
   zu haben?
6. Welche weltlichen Ziele verdrängten das religiöse Ziel, das
   Reich Gottes auf Erden zu begründen?
7. Warum fühlt sich der weiße Abendländer oft dem Rest der
   Welt überlegen?
8. Warum kann man nicht feststellen, ob die chinesische Kultur oder die europäische Kultur besser ist?
9. Warum rechnet Spengler die japanische Kultur nicht zu
   den großen Kulturen?

[66] **Es fragt sich** It is questionable   [67] (die **Wandlung** transformation)
[68] **Dieses: Stirb und werde!** This: die in order to be ready for a new life

10. Welche der alten Kulturen sind Flußkulturen?
11. Was haben die großen Kulturen nach Spengler mit einem Organismus gemeinsam?
12. In welche „Jahreszeit" der abendländischen Kultur gehören nach Spengler Männer wie Galilei, Bacon und Leibniz?
13. Inwiefern ist die moderne Weltstadt den Weltstädten der sterbenden Antike ähnlich?
14. Was geschieht mit den Menschenmassen einer toten Hochkultur?
15. Was sind die beiden kritischen Gesichtspunkte, von denen aus Spenglers Philosophie kritisiert worden ist?

B. Vocabulary Review

1. der Trost
2. der Zweck
3. der Sieg
4. der Stolz
5. die Beurteilung
6. die Behauptung
7. die Bemerkung
8. die Betrachtung
9. die Verehrung
10. die Auffassung
11. der Anhänger
12. der Zustand
13. das Schicksal
14. das Ereignis
15. die Mehrheit
16. die Grundlage
17. der Begriff
18. der Maßstab
19. der Zusammenhang
20. das Wachstum
21. die Stimmung
22. der Herrscher
23. der Zufall
24. zufällig
25. gestatten
26. berichten
27. sich befassen mit
28. beurteilen
29. beobachten
30. vergleichen
31. verwenden
32. erobern
33. erwähnen
34. entsprechen
35. feststellen
36. voraussagen
37. annehmen
38. ausdrücken
39. überzeugen
40. die Überzeugung
41. gebildet
42. wesentlich
43. verantwortlich
44. durchschnittlich
45. gewöhnlich
46. fraglich
47. geduldig
48. riesig
49. endgültig
50. gleichzeitig
51. durchaus
52. äußerst

53. demgemäß
54. infolgedessen
55. ausschließlich
56. es fragt sich

57. recht geben
58. entweder . . . oder
59. v. Chr.
60. n. Chr.

C. Practice Sentences

1. Um Spengler richtig zu verstehen, muß man sich darüber im klaren sein, daß in seinem Werk der Versuch gemacht wird, eine Theorie geschichtlicher Entwicklungen zu finden.
2. Es war nicht zu erwarten, daß er recht hatte.
3. Es handelt sich hier um einen Versuch, geschichtliche Entwicklungen vorauszusagen.
4. Den Gedanken der Heilsgeschichte können wir in den seit der Renaissance entstandenen weltlichen Philosophien immer wieder finden.
5. Vergleicht man die Phasen der von Spengler untersuchten acht Kulturen miteinander, so entdeckt man ein Entwicklungsgesetz, das dem organischer Körper sehr ähnlich ist.
6. Des pessimistischen Endresultates wegen Spenglers Philosophie für falsch zu halten, heißt den Wunsch zum Vater des kritischen Gedankens machen.
7. Der englische Geschichtsphilosoph Toynbee gelangt zu ganz anderen Theorien über Entstehung und Untergang der Kulturen als Spengler. Während dieser seine Philosophie auf dem schematischen Verlauf der Kulturen aufbaut, hält Toynbee eine Kulturmorphologie für nicht möglich.
8. Es läßt sich in unserer Zeit keine Geschichtsphilosophie aufstellen, die sich nicht aufs genauste an historische Tatsachen hält.
9. Will man wissen, wem in diesem Streit der Meinungen recht zu geben ist, so muß man die Zukunft befragen. Solche Fragen können nicht von Zeitgenossen beantwortet werden.
10. Über die im Winter der Hochkultur entstehende Weltstadt hat Spengler kein gutes Wort zu sagen.

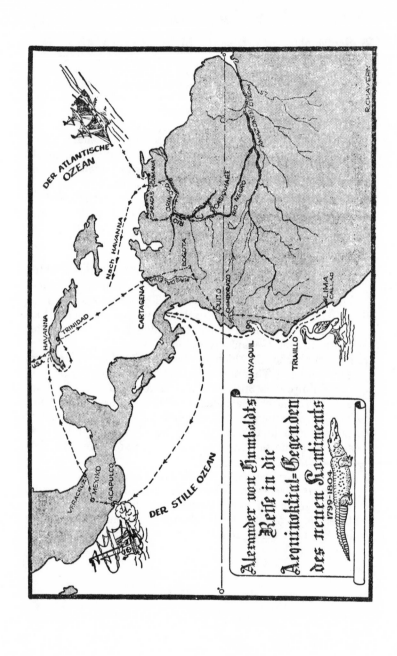

DER ATLANTISCHE OZEAN

Nach HAVANNA

DER STILLE OZEAN

USA · HAVANNA · TRINIDAD · CARTAGENA · GRACIAS Á DIOS · ORINOCO · RIO APURE · BOGOTA · QUITO · CHIMBORAZO · CASIQUIARE · RIO NEGRO · AMAZONENSTROM

VERACRUZ · MEXIKO · ACAPULCO · GUAYAQUIL · TRUJILLO · LIMA CALLAO

R. GHAVERK

Alexander von Humboldts
Reise in die
Aequinoktial-Gegenden
des neuen Kontinents
1799–1804

✤ 8 ✤

HUMBOLDT

Das Universalgenie der Naturwissenschaft

Auf der Fahrt von Ecuador nach Mexiko hatte die Fregatte Orúe mit einem schweren Sturm kämpfen müssen. Als sich aber am dreißigsten Reisetage hinter einer Landzunge die weite Bucht von Acapulco zeigte, vergaß die Schiffsmannschaft Leiden und Müdigkeit. Ein Kommando 5 des Kapitäns, und mit freudigem Geschrei stürzten die Seeleute an die Kanonen, um dem Hafen, wie es Brauch war, ihre Ankunft zu melden. Eine Breitseite donnerte über die stillen Wasser des Pazifik, und noch ehe sich der Rauch verzogen [1] hatte, antworteten die schweren Kanonen der 10 Festung San Diego.

Der Kanonendonner brachte die Bevölkerung und auch den Gouverneur an den Pier. Während der Hafen von Veracruz jährlich 400–500 Schiffe aufnahm, besuchten den Hafen von Acapulco kaum zehn Schiffe im Jahr, die von 15 den Philippinen, von Peru und Ecuador kamen. Die Ankunft der Fregatte Orúe war also ein Ereignis. Die Neugierigen hatten erwartet, Kaufleute oder Offiziere aus Peru an Land kommen zu sehen; statt dessen führte der Kapitän drei junge Männer zum Gouverneur, von denen zwei offen- 20

[1] (sich **verziehen** to disappear, waft away)

115

sichtlich aus Ländern kamen, über die der König von
Spanien nicht regierte. Auch der Gouverneur war erstaunt.
Hin und wieder hatte er einen nichtspanischen Seemann
unter den Schiffmannschaften gesehen, aber noch nie war
5 ein reisender Deutscher nach Acapulco gekommen, und
als solchen stellte sich der Führer der kleinen Gruppe vor.
Mißtrauisch öffnete der Gouverneur die Pässe und sah sie
durch. Alexander von Humboldt hieß also dieser Preuße,
dessen unaussprechbaren Namen der Gouverneur nicht
10 verstanden hatte. Daß er fünf Fuß acht groß war, hell-
braunes Haar und graue Augen hatte, daß er 34 Jahre alt
war, das alles stimmte; [2] aber reiste er wirklich, „um Kenntnisse zu erwerben", wie der Paß sagte? Und dann dieser
„Bürger" Aimé Bonpland, ein Botaniker aus dem revolu-
15 tionären Frankreich, und dieser Kreole Carlos Montúfar,
der Sohn eines Marquis aus Quito, Ecuador, was wollten
diese Leute in Mexiko? Lord Nelson und seine Flotte
blockierten die spanischen Häfen, ein schlimmerer Feind
als die Engländer bedrohte das spanische Kolonialreich [3]
20 von innen: der Geist der französischen Revolution, die
Unzufriedenheit der Kolonien. Und in solchen Zeiten zog
dieser Deutsche mit seinen Freunden durch die spanischen
Kolonien, „um Kenntnisse zu erwerben"! Der Gouverneur
öffnete nun den spanischen Paß und sah mit Erstaunen das
25 königliche Siegel. Der erste Staatssekretär hatte den Paß
unterzeichnet, und in dem Paß stand, Alexander von Humboldt habe das Recht, in allen Ländern der spanischen
Krone seine geodätischen [4] und astronomischen Instrumente zu gebrauchen, Naturprodukte zu sammeln, die
30 Höhe der Berge zu messen usw. Dieser Paß, der auch für
Humboldts Mitarbeiter den Schutz der Vizekönige [5] und
Gouverneure verlangte, beseitigte das Mißtrauen des

---

[2] **das stimmte** that was correct   [3] das **Kolonialreich** colonial empire
[4] (**geodätisch** geodetical)   [5] (der **Vizekönig** viceroy)

Gouverneurs. Sofort schrieb er seinen Namen und das
Datum, 22. März 1803, auf die spanischen Pässe und lud
die drei Fremden freundlich ein, sein Haus als das ihre zu
betrachten.

Zu den Gästen des Hauses gehörte auch der Kapitän 5
der Fregatte Orúe, und als man den guten Chilewein trank,
den er dem Gouverneur aus Peru mitgebracht hatte, konnte
dieser seine Neugierde nicht länger zurückhalten. Er
mußte wissen, was für ein Mann dieser Herr von Humboldt
war, dieser Aristokrat und Untertan [6] des preußischen 10
Königs, der Tausende von Meilen gereist war, um Ströme
zu messen, die weder ihm noch seinem König gehörten.
Humboldt war an neugierige Fragen nach seiner Familie,
seinem Leben in Deutschland und seinen Plänen gewöhnt.
Als Gast von Vizekönigen und armen Missionaren hatte 15
er dieselben Fragen zu hören bekommen, die jetzt der
Gouverneur stellte.

So erzählte er also der Gesellschaft im Hause seines
Gastgebers in ausgezeichnetem Spanisch von seinem früh-
verstorbenen [7] Vater, der unter Friedrich II. gedient, von 20
seiner Mutter, die für ihn eine hohe Stellung im Staatsdienst [8] erhofft hatte, von seinem Bruder Wilhelm, der als
klassischer Philologe und Staatsmann einen Namen hatte
und zur Zeit preußischer Gesandter [9] in Rom war. Daß
Humboldt Kameralwissenschaft [10] studiert hatte, impo- 25
nierte dem Gouverneur, aber er verstand nicht, warum dieser Deutsche als Sohn einer alten adligen Familie Naturwissenschaften interessant genug fand, sie an der Universität
Göttingen und unter Privatlehrern zu studieren. Als Humboldt aber von seinem Studium des Bergwesens [11] an der 30
Bergakademie [12] in Freiberg zu sprechen begann, hatte er

[6] (der Untertan subject)   [7] frühverstorben = der früh gestorben war
[8] der Staatsdienst civil service   [9] (der Gesandte ambassador)
[10] (die Kameralwissenschaft Finance)   [11] (das Bergwesen mining)
[12] (die Bergakademie school of mines)

die volle Sympathie seines Gastgebers gewonnen, dessen
Heimatland an Bergwerken reich war. Ob er mit seinen
Studien Erfolg gehabt hätte, wollte der Gouverneur wissen.
Humboldt lächelte und erzählte von seiner Stellung als
5 Leiter der Bergwerke im Südwesten Preußens. „Und einen
solchen Posten geben Sie auf, um hier bei uns in den
Tropen Pflanzen zu sammeln und die Länge von Flüssen zu
messen, die für niemand anders brauchbar sind als für
Krokodile?"
10 Höflich wie immer erklärte Humboldt seine damals nicht
nur spanischen Regierungsbeamten unverständliche Tätigkeit, wie er sie später den Lesern seines Reisewerkes erklärte. Die im folgenden zitierte Stelle verrät, daß sie aus
Gesprächen, wie dem eben beschriebenen, entstanden ist.
15 „Von früher Jugend auf lebte in mir der Wunsch, ferne von
Europäern wenig besuchte Länder bereisen zu dürfen. In
einem Lande aufgewachsen, das in keinem unmittelbaren
Verkehr mit den Kolonien in beiden Indien steht, später
in einem fern von der Meeresküste gelegenen, durch
20 starken Bergbau berühmten Gebirge lebend, fühlte ich
den Trieb zur See und zu weiten Fahrten immer mächtiger
in mir werden. Die Lust am Botanisieren, das Studium der
Geologie, ein Ausflug nach Holland, England und Frankreich in Gesellschaft eines berühmten Mannes, Georg For-
25 sters, dem das Glück geworden war, Kapitän Cook auf
seiner zweiten Reise um die Welt zu begleiten, trugen dazu
bei, den Reiseplänen, die ich schon mit achtzehn Jahren
gehegt,[13] Gestalt und Ziel zu geben. Wenn es mich noch
immer in die schönen Länder der heißen Zone zog, so war
30 es jetzt nicht mehr der Drang [14] nach einem aufregenden
Wanderleben, es war der Trieb, eine wilde, großartige, an
mannigfaltigen Naturprodukten reiche Natur zu sehen, die

[13] (gehegt hatte had entertained)   [14] der Drang impulse

Aussicht, Erfahrungen zu sammeln,[15] welche die Wissenschaften förderten. Ich hatte sechs Jahre Zeit, mich auf die Beobachtungen, die ich in der Neuen Welt anzustellen [16] gedachte, vorzubereiten, Europa zu bereisen und die Alpen zu untersuchen, deren Bau ich später mit dem der 5 Anden von Ecuador und Peru vergleichen konnte. Ich fand Gelegenheit, Messungen, die nach der strengsten Methode vorgenommen [17] worden waren, zu wiederholen, und lernte so selbständig die Irrtümer kennen, auf die ich gefaßt sein [18] mußte." 10

Auch in Acapulco war Humboldt auf Irrtümer gefaßt. Trotzdem dieser Hafen den Kartographen für andere pazifische Häfen als Ausgangspunkt diente, war man sich über die genaue geographische Lage dieses Ausgangspunktes nicht einig. 15

Der Gouverneur hätte wohl gerne mehr Gelegenheit gehabt, mit dem ehemaligen Direktor des fränkischen Bergbaus über dessen aufregende Erlebnisse zu sprechen, aber Humboldt ließ sich hier wie überall nicht von der Arbeit abhalten. 20

Tagelang wanderte er mit seinen Freunden und Helfern, Bonpland und Montúfar, an der Küste Acapulcos entlang, stieg auf die umgebenden Berge und machte Messungen, die es ihm später ermöglichten, seinem großen Werke über Mexiko eine geographisch genaue Karte des Hafens hinzu- 25 zufügen. In diesem Werke gibt Humboldt einen langen Bericht über die wirtschaftliche Bedeutung Acapulcos und lobt mit begeisterten Worten die wildromantische Schönheit dieses Ortes.

Heute ist Acapulco in erster Linie [19] ein weltberühmtes 30

---

[15] sammeln *here* to acquire
[16] (an-stellen to make)
[17] vor-nehmen to undertake
[18] gefaßt sein auf to be prepared for
[19] in erster Linie first of all

Seebad. In einer der vielen Reisebroschüren,[20] die zum Besuch dieses Ferienparadieses einladen, werden Humboldts lobende Worte auf spanisch und englisch zitiert. Die Hotelbesitzer nehmen offensichtlich an, daß Humboldts
5 Name noch heute in Nord- und Südamerika bekannt ist, und sie haben recht.

Ein halbes Jahrhundert nach Humboldts Reise durch Mexiko, ein Jahr vor seinem Tode, wurde ihm vom Kriegssekretär der Vereinigten Staaten ein Album geschickt, das
10 die kartographischen Abbildungen der nach Humboldt benannten Flüsse, Berge usw. enthielt. In dem Briefe, der das Geschenk begleitete, stand: „Nie werden wir (die Bürger der Vereinigten Staaten) vergessen, was Sie nicht nur für uns, sondern für die ganze Welt getan haben. Der
15 Name Humboldt ist bei uns in Amerika bekannt von den Küsten des Atlantischen bis zu den Wassern des Stillen Ozeans. Durch seinen Gebrauch in der Geographie unseres Landes haben wir uns selbst geehrt, und die Nachwelt wird ihn überall finden zusammen mit den Namen Wa-
20 shington, Jefferson und Franklin."

Das war 1858. Heute noch tragen Flüsse und Berge, Wälder, Städte und Distrikte [21] in den Vereinigten Staaten Humboldts Namen. Und auch in Mexiko und Südamerika heißen Städte, Straßen, Tiere und Pflanzen, und sogar eine
25 Meeresströmung [22] nach ihm.

Nie wieder ist ein Wissenschaftler, Denker, Dichter, Staatsmann oder General so von der ganzen abendländischen Welt geehrt worden wie Alexander von Humboldt. Womit hat sich dieser Naturforscher die dankbare Erinne-
30 rung der Nachwelt verdient?

Es ist unmöglich, Humboldts Welterfolg mit ein paar Worten zu beschreiben, denn es handelt sich bei ihm nicht

---

[20] die Reisebroschüre travel folder   [21] (der Distrikt county)
[22] die Meeresströmung ocean current

nur um diese oder jene wissenschaftliche Leistung, sondern auch um seinen rein menschlichen Wert, den alle fühlten, die mit ihm in Berührung kamen. Er gehört zu den wenigen berühmten Männern, die durch ihr Leben und Wirken [23] den Mitmenschen vor Augen halten,[24] welche Möglich- 5 keiten die menschliche Existenz in sich hat. Der deutsche Dichter Heine schrieb auf dem Totenbett einen letzten Gruß an seinen Freund Humboldt: „Dem großen Alexander—der sterbende Heine."

Versucht man nun diese Größe im einzelnen zu analy- 10 sieren, so lassen sich gewisse Leistungen Humboldts sowie gewisse Seiten seiner Begabung und seines Charakters herausheben, wobei man aber bedenken muß, daß der Kern [25] einer solchen Persönlichkeit den Mitmenschen ein Rätsel bleibt. 15

Humboldts erstaunliche wissenschaftliche Leistungen wurden zum größten Teil durch seine Reise nach Südamerika ermöglicht. Diese Forschungsreise war das große Ereignis seines Lebens, und als solche eine ganz einzigartige Tat, die seinen Weltruhm begründete. Die von ihm be- 20 reisten Länder lagen alle im spanischen Kolonialreich, einem ungeheuren Gebiet, das sich von der Nordspitze [26] Kaliforniens über die Südspitze Chiles hinaus erstreckte. Drückende Monopole waren daran schuld, daß die Kolonien wirtschaftlich unterentwickelt waren. Der Verkehr mit 25 dem Mutterlande beschränkte sich [27] um die Wende des 18. Jahrhunderts auf einige Schiffe, die alle halbe Jahre die auszuführenden [28] und einzuführenden Waren sowie die Ein- und Auswanderer transportierten. Ausländern war der Besuch der überseeischen Besitzungen Spaniens ver- 30 boten, und Kolonialspanier durften keinerlei geschäftliche

[23] das Wirken activity [24] vor Augen halten to remind
[25] der Kern core, essence [26] die Spitze point
[27] sich beschränken auf to be limited to [28] aus-führen to export

Beziehungen zum Ausland haben. Übertrat [29] ein Kolonialspanier dies Gesetz, so wurde sein Vermögen konfisziert,
und manchmal wurde er sogar mit dem Tode bestraft. Der
wirtschaftlichen Unterentwicklung entsprach der geringe
5 Umfang [30] wissenschaftlicher Forschungsarbeit hinsichtlich [31] der Geographie, Fauna, Flora und Völkerkunde
dieses riesigen Kolonialreiches.

In den drei Jahrhunderten spanischer Herrschaft, die vor
Humboldts Reise vergangen waren, hatten nur sechs wis-
10 senschaftliche Expeditionen ins Innere des spanischen
Südamerikas stattgefunden, die sich außerdem fast nur mit
der Landvermessung beschäftigten. 64 Jahre vor Humboldt
war z.B. der Franzose La Condamine nach Ecuador gereist,
um dort einen Bogen des Meridians zu messen. La Conda-
15 mine war der erste gewesen, der den Amazonenstrom hin-
abgefahren war, aber alle seine Reisen, die er für die
französische Akademie der Wissenschaften und ganz gewiß
nicht für politische Zwecke unternommen hatte, wurden
von den Spaniern scharf überwacht, und außerdem hatten
20 er und seine Reisegenossen unter dem Mißtrauen der Kolonialspanier schwer zu leiden gehabt.

Humboldt hatte als erster Ausländer vollkommene Freiheit, spanische Gebiete wissenschaftlich zu erforschen.
Dieser Sieg über das Mißtrauen spanischer Regierungs-
25 beamter und des spanischen Königs ist zunächst Humboldts Persönlichkeit zuzuschreiben. Der Idealismus seines
Denkens und Fühlens, seine Begeisterung und seine fast
kindliche Offenherzigkeit gewannen ihm überall Achtung,
Verehrung, und nicht selten die Liebe seiner Mitmenschen.
30 Der Zar von Rußland, der König von Preußen, der König
von Spanien, die Vizekönige und Gouverneure des Kolonialreiches, die Missionare, ja sogar die einfachen Indianer,

---

[29] übertreten to violate   [30] der geringe Umfang the small extent
[31] hinsichtlich with regard to

die seine Kanus auf den riesigen Strömen Südamerikas ruderten, sie alle wollten diesem seltsamen Manne helfen, wenn sie auch—was meistens der Fall war—seine Zwecke nicht verstanden. Trotz all dieser günstigen Umstände [32] hätte seine Reise 5 aber doch leicht ein tragisches Ende nehmen können. Von der Expedition des Spaniers Solano ins Gebiet des auch von Humboldt besuchten oberen Orinoco waren von 325 Expeditionsmitgliedern nur 13 zurückgekehrt. Das war rund [33] fünfzig Jahre vor Humboldts Expedition gesche- 10 hen, und Humboldts Expedition bestand nur aus zwei Europäern, ihm selbst und dem Franzosen Bonpland, und etwa zwei Dutzend Indianern, die als Träger oder Ruderer für die beiden Forscher arbeiteten. Humboldt war nicht e i n m a l ernstlich krank auf seiner fünfjährigen Reise, die 15 ihn durch tropische Wildnisse voll von tödlichen Gefahren führte. Nicht einer der Leute, die für ihn arbeiteten, starb auf diesen Reisen. Es sei hier aber gleich hinzugefügt, daß er für den einfachsten Indianer, der ihm diente, genau so gut sorgte, wie er als Bergwerksdirektor für die Sicherheit 20 und die körperliche und geistige Gesundheit [34] der Bergleute gesorgt hatte. Humboldts Briefe zeigen, daß er ernsthaft daran zweifelte, mit seinem Freunde Bonpland lebendig von dem südamerikanischen Abenteuer zurückzukehren, und die beiden waren auch oft in Gefahr, dem 25 Fieber zu erliegen, von Krokodilen oder Jaguaren gefressen zu werden oder bei ihren vielen Bergbesteigungen zu verunglücken. Mitwelt [35] und Nachwelt haben sich oft über Humboldts außerordentliches Glück gewundert, das ihn nicht nur gesund zurückkehren ließ, sondern während 30 seines ganzen tätigen Lebens ihm treu blieb und selbst

[32] der Umstand circumstance   [33] rund approximately
[34] geistige Gesundheit mental health
[35] die Mitwelt his contemporaries

Niederlagen [36] in Siege verwandelte. Wenn je bei einem großen Mann die so seltene Verbindung von Glück und Verdienst bestand, dann bei Humboldt.

Seine Reise war in jeder Hinsicht [37] einzigartig, be-
5 sonders aber deshalb, weil es die erste Entdeckungsfahrt war, die ein Privatmann aus reiner Liebe zur Wissenschaft unternahm. Entdecker früherer Jahrhunderte waren aus Macht- oder Goldgier oder aus religiösem Fanatismus in ferne Weltteile eingedrungen, oder das wissenschaftliche
10 Interesse galt [38] fast ausschließlich der Geodäsie. Mit Humboldt beginnt eine neue Art von Entdeckungs- fahrten. Es ist der Zweck dieser Reisen, die Geheimnisse der belebten und unbelebten Natur zu erforschen und so den Gesichtskreis der Menschheit zu erweitern, nicht die
15 Macht oder den Reichtum eines Landes zu vergrößern. Außerdem reiste Humboldt ganz auf eigene Kosten, ohne die finanzielle Unterstützung irgendeiner Regierung an- zunehmen. Nur so konnte er sich die Unabhängigkeit sichern, die er für seine Forschungen nötig hatte. Aber
20 auch in diesem Punkt hat ihm sein Glück geholfen. Zu Anfang wollte er sich verschiedenen Reisenden anschlie- ßen, die ihn aufgefordert hatten, sie wenigstens eine Weile zu begleiten. Er hatte auch mit Freuden die Ein- ladung der französischen Regierung angenommen, den
25 Kapitän Baudin auf einer Reise um die Welt zu begleiten. Aus all diesen Plänen wurde aber nichts wegen der Kriegs- unruhen in Europa, und so beschloß Humboldt, sein Glück in Spanien zu versuchen und von einem spanischen Hafen aus nach Amerika zu fahren. Als ob das Schicksal diese
30 Reise und keine andere für ihn gewollt hätte, verschwan- den auf einmal alle Schwierigkeiten, und alles, was Hum-

[36] die **Niederlage** defeat   [37] die **Hinsicht** respect
[38] **gelten** to be directed to

boldt jetzt unternahm, gelang. Nach einer persönlichen
Audienz bei Karl IV. erhielt er einen Paß, der ihm und
Bonpland eine Bewegungsfreiheit in den Kolonien gab,
wie sie noch kein Europäer vor ihm genossen hatte. Selbst
das Wetter war auf seiner Seite. Die Fregatte Pizarro, auf 5
der sich die beiden Freunde in Coruña eingeschifft hatten,
schlüpfte gegen alle Erwartung durch die Blockade, als
ein Sturm die englischen Kriegsschiffe zwang, sich von der
Küste zu entfernen, und ein dichter Nebel die Manöver
der Pizarro verbarg. 10
    Die Reise durch Spanien war an sich schon eine For-
schungsreise von hohem wissenschaftlichem Wert gewesen. Auf dem ganzen Wege durch die Halbinsel, den die
Freunde meist zu Fuß zurücklegten,[39] beschäftigten sie
sich mit Pflanzensammeln und Humboldt besonders mit 15
geognostischen, meteorologischen und geodätischen Untersuchungen. All dies war wertvolle wissenschaftliche Arbeit, denn eine Geomorphologie Spaniens gab es noch
nicht. Hier zeigte sich auch schon, daß er ein wissenschaftlicher Midas war, unter dessen Händen sich das Gewöhn- 20
liche[40] in das Gold des wissenschaftlich Wichtigen verwandelte. Viele Reisende vor ihm hatten Höhenmessungen
unternommen, aber Humboldt tat es systematisch. Auf
jedem Haltepunkt der Reise maß er die Höhe über dem
Meeresspiegel. Indem er dann diese Punkte verband, 25
stellte er das Höhenprofil Spaniens dar. So bereicherte er
die geographische Wissenschaft mit der heute in jedem
Lehrbuch gebrauchten kartographischen Darstellung der
Höhenlinie.
    Ehe der Sturm kam, der die englischen Kriegsschiffe 30
vertrieb, hatte Humboldt Zeit, von Coruña aus letzte Briefe
an seine Freunde zu schreiben. Einige Stellen seien hier

[39] (zurück-legen to cover)   [40] das Gewöhnliche the ordinary things

zitiert, da sie ein Licht auf Humboldt den Menschen und Naturforscher werfen: „Mir schwindelt der Kopf [41] vor Freude! Welchen Schatz von Beobachtungen werde ich nun zu meinem Werk über die Konstruktion des Erdkörpers 5 sammeln können! Der Mensch muß das Gute und Große wollen; das Übrige hängt vom Schicksal ab!—Ich werde Pflanzen und Fossilien sammeln, mit vortrefflichen Instrumenten astronomische Beobachtungen machen können; ich werde die Luft chemisch zerlegen . . . Das alles ist 10 aber nicht der Hauptzweck meiner Reise. Auf das Zusammenwirken der Kräfte, den Einfluß der unbelebten Schöpfung auf die belebte Tier- und Pflanzenwelt, auf diese Harmonie sollen immer meine Augen gerichtet sein."

Die Pizarro hatte das offene Meer erreicht, und die 15 Küste Europas versank vor den Blicken der beiden jungen Naturforscher, die nun endlich ihre lange, abenteuerreiche Reise nach Übersee begonnen hatten. Humboldt beschreibt diesen Augenblick in seinem großen Reisewerk: „Wir steuerten gegen Nordwest, um nicht den englischen 20 Fregatten zu begegnen. Gegen neun Uhr erblickten wir das Licht in einer Fischerhütte, das letzte, was wir von der Küste von Europa sahen. Mit der zunehmenden Entfernung verschmolz [42] der schwache Schimmer mit dem Licht der Sterne, die am Horizont aufgingen, und unwillkürlich 25 blieben unsere Blicke daran hängen.[43] Solche Eindrücke vergißt einer nie, der in einem Alter, wo die Empfindung noch ihre volle Tiefe und Kraft besitzt, eine weite Seefahrt angetreten [44] hat."

Die dichterisch philosophische Erlebnisweise, die in 30 diesen Zeilen zum Ausdruck kommt, wußte Humboldt sehr

[41] (Mir schwindelt der Kopf I feel dizzy)
[42] (verschmelzen to merge)
[43] (blieben daran hängen remain fixed to it)
[44] an-treten to set out on

wohl mit dem nüchternen [45] Sinn für Tatsachen zu vereinigen, ohne den wir uns heute keinen Naturwissenschaftler vorstellen können. Deshalb war dieser Sohn der klassischromantischen deutschen Kulturepoche ein Gegner aller rein spekulativen Naturphilosophie, wie sie z.b. die Phi- 5 losophen Schelling und Hegel vertraten.

Der Hang [46] zu dichterisch-philosophischem Erleben von Natur und Geschichte findet sich bei so vielen großen Deutschen, selbst wenn ihr Gebiet die exakten Naturwissenschaften sind, daß man ihn, trotzdem solche Verallge- 10 meinerungen immer etwas fraglich sind, typisch deutsch nennen sollte. Auf jeden Fall haben Franzosen und Engländer, Spanier und Amerikaner diesen Charakterzug Humboldts als deutsch empfunden. Humboldt selber machte einmal die typisch deutsche Feststellung, „dass 15 die schaffende Phantasie des Dichters sich im Weltentdecker (dies bezieht sich auf Kolumbus), wie in jedem großen menschlichen Charakter, ausspricht.[47]

An Bord des Schiffes war Humboldt rastlos tätig. Da er nie seekrank wurde, war ihm eine Seereise immer eine 20 willkommene Gelegenheit zu ungestörter Arbeit. Er beobachtete die Meeresströmungen, untersuchte mit Bonpland aufgefischte Seepflanzen und Seetiere, er machte wichtige Feststellungen über Temperaturveränderungen des Wassers und der Luft, er analysierte Meerwasser unter 25 dem Mikroskop, um die bis dahin gegebenen Erklärungen des Meeresleuchtens [48] zu prüfen usw.

Der Höhepunkt der Seereise war der Besuch der Kanarischen Insel Teneriffa, deren riesigen Vulkan, den Pik, Humboldt und Bonpland bestiegen. Humboldt beschreibt 30 die weite Aussicht über Land und Meer, und wie so oft

[45] nüchtern clear-headed   [46] der Hang inclination
[47] sich aus-sprechen to be expressed
[48] (das Meeresleuchten phosphorescence of the sea)

bei ihm vereinigen sich in e i n e m Erlebnis die Freude an
der Natur mit der Erkenntnis [49] der Natur. Vom Krater-
rand [50] des Riesenvulkans sah Humboldt die Vegetationsgürtel,[51] die den Berg umgaben, und ein Gesetz der von
5 ihm geschaffenen Pflanzengeographie offenbarte [52] sich
ihm. Er erkannte, daß die Vegetationsgürtel eines in den
Tropen gelegenen Berges vom Fuß des Berges bis dahin,
wo der ewige Schnee beginnt, den Vegetationszonen der
Erde entsprechen, d.h. den vom Äquator bis zu den Polen
10 hin klimatisch unterscheidbaren Pflanzengruppen.
Der Ausbruch einer gefährlichen Fieberepidemie an
Bord änderte Humboldts Reisepläne. Er hatte erst nach
Kuba fahren wollen, nun ging er mit Bonpland in Cumaná,
einer Hafenstadt Venezuelas, an Land.
15 Wieder hatte ihm das Schicksal ein scheinbares Hindernis in den Weg gelegt, das ihn zwang, eine bessere Wahl
zu treffen.[53] Denn nun blieb er anderthalb Jahre in Venezuela, anderthalb Jahre reich an Gefahren und Mühen,
aber auch an wissenschaftlichen Erfolgen.
20 Venezuela war damals noch fast unerforschtes Gebiet,
und man hört die Entdeckerfreude der beiden Forscher
aus einem Brief, den Humboldt gleich nach der Ankunft
an seinen Bruder Wilhelm schrieb, der damals die Pyre-
näen bereiste, um die Sprache der Basken zu studieren.
25 „Wir sind hier in dem göttlichsten und vollsten Lande.
Was für wunderbare Pflanzen! Hier gibt es Zitteraale,[54]
Tiger (Jaguare), Armadille, Affen, Papageien [55] und viele
echte, halbwilde Indianer, eine sehr schöne und interessante Menschenrasse.—Wie bunt das Gefieder der Vögel
30 und die Farben der Fische sind! Sogar die Krebse [56] sind
himmelblau und golden gefärbt.—Wie die Narren [57] laufen

[49] die **Erkenntnis** scientific understanding   [50] (der **Rand** rim)
[51] (der **Gürtel** belt)   [52] sich **offenbaren** to reveal itself
[53] eine **Wahl treffen** to make a choice   [54] (der **Zitteraal** electric eel)
[55] der **Papagei** parrot   [56] (der **Krebs** crab)   [57] der **Narr** fool

wir bis jetzt umher, in den ersten drei Tagen konnten wir
nichts bestimmen,[58] da man immer einen Gegenstand weg-
wirft, um einen anderen zu ergreifen. Bonpland versichert,
daß er von Sinnen kommen [59] werde, wenn die Wunder
nicht bald aufhören." 5
Die Wunder hörten nicht auf, aber bald hatten sich die
beiden jungen Forscher genügend an sie gewöhnt, um sie
auf ihren langen gefahrvollen Expeditionen wissenschaftlich zu analysieren. Systematisch durchreisten sie die drei
geographischen Gebiete Venezuelas, das Küstengebiet, die 10
Llanos oder Savannen und schließlich das Stromgebiet des
Orinoco.
Während Bonpland hauptsächlich Pflanzen und Insekten sammelte, wobei ihm Humboldt wie immer mit viel
Energie und Geschick half, beschäftigte sich Humboldt 15
hauptsächlich mit astronomischen Messungen, Ortsbe-
stimmungen und geognostischen Untersuchungen, doch
fand er immer noch genug Zeit, Studien über die Indianer-
sprachen anzustellen,[60] sowie deren Bräuche und Geschichte zu erforschen. Auf langen Ausflügen entdeckte er 20
neue Tierarten—einige derselben wurden später nach ihm
benannt—während der Exkursion ins Orinocogebiet se-
zierte er Krokodile, über deren Anatomie, Unterarten [61]
und Lebensweise er den Zoologen viel Neues zu sagen
hatte. 25
Sein Hauptzweck in Venezuela war aber die Erforschung
des oberen Orinoco, um die von La Condamine und anderen behauptete, dann aber wieder oft geleugnete [62] Verbindung des Orinoco mit dem Amazonenstrom endgültig
zu beweisen und das höchst komplexe hydrographische 30
Netz zwischen Orinoco und Amazonenstrom kartogra-

[58] (bestimmen to specify)   [59] von Sinnen kommen to lose one's mind
[60] an-stellen to make   [61] (die Unterart subvariety)
[62] leugnen to disclaim

phisch so genau wie möglich festzustellen. Zu diesem Zweck
fuhr er den Orinoco hinauf, bis er zu der großen Gabelung
des Flusses kam, wo der Casiquiare vom Orinoco ab-
zweigt [63] und sich mit dem Rio Negro verbindet, dem
5 großen Nebenstrom des Amazonas. Die Reise auf dem
Casiquiare nennt Humboldt wegen der Insektenplage, der
schlechten Nahrung und der engen, nassen Kanus den
schwierigsten Teil der zurückgelegten Strecke. Alles in
allem war er auf dem Orinoco und seinen Nebenflüssen in
10 75 Tagen 2780 km gereist und hatte viele Messungen gemacht, in Gebieten, die vorher kaum je ein Mensch betreten hatte. Und diese Messungen waren trotz Moskitos,
tropischem Regen, Hunger und Erschöpfung so genau, als
ob er sie im Park seines väterlichen Schlosses Tegel bei
15 Berlin gemacht hätte. Moderne Messungen haben das immer wieder bewiesen. So weicht z.b. die von Humboldt
berechnete Länge des Orinoco von der mit modernen Instrumenten festgestellten nur um etwa drei Kilometer ab.
    Waren diese kartographischen Arbeiten Humboldts von
20 großer Wichtigkeit für die Geographie, so interessierten
sich Humboldts Zeitgenossen für andere Dinge, von denen
seine Reisewerke berichten. Von all den Wundern Venezuelas war für sie die größte Sensation der Zitteraal, dies
sonderbare Tier, das auch dem modernen Leser noch als
25 ein höchst interessantes Wunder der Tropenwelt erscheint.
In den „Ansichten [64] der Natur", einem Werk, das dem
Verfasser selber von allen seinen Werken das liebste war,
beschreibt Humboldt den Fang dieser seltsamen Tiere:
„Man jagt Maultiere und Pferde in einen Sumpf, welchen
30 die Indianer eng umzingeln,[65] bis der ungewohnte Lärm
die mutigen Fische zum Angriff reizt.[66] Schlangenartig

---

[63] (ab-zweigen to branch off)   [64] die Ansicht view
[65] (umzingeln to surround)   [66] reizen to provoke

sieht man sie auf dem Wasser schwimmen und sich unter
den Bauch der Pferde drängen.[67] Von diesen erliegen viele
der Stärke unsichtbarer elektrischer Schläge,[68] andere
fliehen das tobende Gewitter. Aber die Indianer, mit langen
Bambusstäben bewaffnet, treiben sie in die Mitte des 5
Sumpfes zurück.
Allmählich läßt die Wut des ungleichen Kampfes nach.[69]
Wie entladene [70] Wolken zerstreuen sich die ermüdeten
Fische. Sie brauchen lange Ruhe und viel Nahrung, um zu
sammeln,[71] was sie an galvanischer Kraft verschwendet [72] 10
haben. Schwächer und schwächer werden nun allmählich
ihre Schläge. Sie nahen sich dem Ufer, wo sie durch
Harpunen verwundet und mit trockenem, nicht leiten-
dem [73] Holz auf die Steppe gezogen werden."
Die exotische Schönheit tropischer Landschaften, wie 15
sie Humboldt in Venezuela kennengelernt hatte, war für
die Deutschen etwas ganz Neues, und der Forscher gab sich
deshalb die größte Mühe,[74] diese neuen Natureindrücke
seinen Landsleuten zu vermitteln. Dabei hatte er sich eine
dreifache Aufgabe gesetzt. Er wollte das Bild der Land- 20
schaft, ihre typischen Geräusche, aber auch das Erlebnis
dieser Landschaft, den seelischen Eindruck darstellen, den
sie auf ihn machte.
Diese schwierige Aufgabe hat er in seinem Werk, „Ansichten der Natur" meisterhaft gelöst, trotzdem es nicht 25
an Kritikern gefehlt hat, die Humboldts Naturbeschrei-
bungen mit denen Goethes in der „Italienischen Reise"
und den „Briefen aus der Schweiz" zum Nachteil Humboldts verglichen. Muß man auch zugeben, daß Humboldt
nicht zu den größten Meistern der deutschen Prosa gehört, 30

---

67 sich drängen to crowd   68 der Schlag shock
69 nach-lassen to lessen   70 entladen to discharge
71 (sammeln accumulate)   72 verschwenden to waste, dissipate
73 leitend conducting   74 sich Mühe geben to take pains

so ist er doch ein großer Schriftsteller gewesen, der neue
Stoffmassen mit Geschick und manchmal mit der Kraft
des Dichters in die Sprache einzuführen wußte. Die Kom-
position der „Ansichten" spiegelt Humboldts Doppelnatur
5 wider. Jeder Naturskizze, die man stellenweise [75] Prosage-
dichte nennen könnte, folgt ein gewaltiger wissenschaftlicher Apparat, der die Anmerkungen zu der Skizze bringt.
Für die erste Skizze z.B. ist der wissenschaftliche Kom-
mentar zehnmal so lang wie die Skizze selbst. Humboldt
10 mußte vieles mit Worten ausdrücken, was der moderne
Naturforscher mit dem Tonfilm darstellt, aber immer findet
sich in seinen Schilderungen die Vereinigung von Bild,
Ton und seelischem Gehalt, und diese Dreiheit [76] hebt
seine Schilderungen auf eine künstlerische Ebene, die wis-
15 senschaftliche Tonfilme nur selten erreichen, oft wohl auch
gar nicht erreichen wollen.

Das folgende Beispiel aus den „Ansichten" wird das
oben Gesagte am besten klarmachen, wenn sich der Leser
vorstellt, er sehe einen Tonfilm. „Tausendjährige Wälder,
20 ein undurchdringliches Dickicht bedecken das feuchte
Gebiet zwischem dem Orinoco und dem Amazonenstrom.
Mächtige bleifarbige [77] Granitmassen verengen das Bett
der schäumenden Flüsse. Berge und Wälder hallen wider [78]
von dem Donner der stürzenden Wasser, von dem Ge-
25 brülle der Jaguars, von dem dumpfen, regenverkünden-
den [79] Geheule der bärtigen Affen.

Wo der seichte [80] Strom eine Sandbank übrig läßt, da
liegen mit offenem Rachen, unbeweglich wie Felsstücke
hingestreckt, oft bedeckt mit Vögeln, die ungeschlachten [81]
30 Körper der Krokodile."

Dieses kurze Zitat hat im Original drei Anmerkungen zu

[75] stellenweise in parts   [76] (die Dreiheit triad)
[77] (bleifarbig lead-colored)   [78] wider-hallen to re-echo
[79] regenverkündend announcing rain   [80] seicht shallow
[81] (ungeschlacht clumsy)

„bleifarbige Felsen", „regenverkündendes Geheul" und „mit Vögeln bedeckt". Solche Anmerkungen Humboldts zeigen immer aufs neue die großen Kenntnisse, die dieser Gelehrte auf fast allen Gebieten der Wissenschaften besaß und die bis ins kleinste Detail gehende Gründlichkeit. Die 5 Anmerkungen erinnern uns dauernd, daß die poetisch geschriebenen Skizzen, die sich manchmal wie reine Dichtungen lesen, überall durch das solideste Tatsachenwissen gestützt [82] sind. Nachdem z.B. Humboldt, der dichterisch fühlende Ästhet, die Tierstimmen im Urwald genossen hat, 10 macht Humboldt, der Wissenschaftler, eingehende anatomische Studien, um die physiologisch-anatomischen Ursachen dieser wildromantischen Naturlaute festzustellen. Die Anmerkung über „das regenverkündende Geheul" schließt mit dem Hinweis: [83] Über die Stimmsäcke [84] und 15 den knöchernen Stimmkasten [85] dieser Tiere s.[86] meine anatomische Abhandlung im ersten Teil meines *Recueil d'Observations de Zoologie* (Sammlung zoologischer Beobachtungen) Vol. I, p. 18.

Diese Sammlung besteht aus zwei Bänden seines noch 20 zu besprechenden dreißigbändigen Reisewerkes. Der erste Teil, auf den er verweist, enthält Humboldts Untersuchung „Von dem Zungenbein [87] und dem Kehlkopf [88] der Vögel, der Affen und des Krokodils".

In einem langen Brief an seinen Freund Willdenow, 25 einen deutschen Botaniker, dessen Sammlungen exotischer Pflanzen wie Georg Forsters Reisebeschreibungen Humboldts Sehnsucht nach den Tropen erweckt hatten, schreibt er am Ende seiner Reise durch Venezuela von den Gefahren, Anstrengungen und Freuden dieser Reise. „Vier 30 Monate hindurch schliefen wir in Wäldern, umgeben von

[82] (stützen to support)   [83] der Hinweis reference
[84] (der Stimmsack resonator)   [85] (der Stimmkasten voice box)
[86] s. = siehe   [87] (das Zungenbein tongue-bone, hyoid bone)
[88] (der Kehlkopf larynx)

Krokodilen, Boas und Tigern (Jaguaren), die hier selbst
Kanus anfallen, nichts genießend [89] als Reis, Ameisen,
Manioc (Tapiokapflanze), Bananen, Orinocowasser und
manchmal Affen. Ein Gebiet von 8 000 Quadratmeilen, in
5 denen keine Indianer, sondern nur Affen und Schlangen
anzutreffen sind, haben wir, an Händen und Gesicht von
Moskitostichen geschwollen, durchreist. Die Tropenwelt
ist mein Element, und ich bin nie so ununterbrochen
gesund gewesen als in den letzten zwei Jahren. Ich arbeite
10 sehr viel, schlafe wenig, bin oft bei astronomischen Beobachtungen 4–5 Stunden lang ohne Hut der Sonne ausgesetzt. Ich habe mich in Städten aufgehalten, wo das gelbe
Fieber wütete, und nie hatte ich auch nur Kopfweh. Meine
Unabhängigkeit wird mir mit jedem Tage teurer. Ein
15 Menschenleben, begonnen wie das meinige, ist zum Handeln bestimmt,[90] und sollte ich untergehen, so wissen die,
welche meinem Herzen so nahe sind wie Du, daß ich mich
nicht gemeinen Zwecken aufgeopfert habe.[91]
    Und Du, mein Guter, wie führst Du im häuslich stillen
20 Glück Dein arbeitsames Leben fort? Wie glücklich bist Du,
diese undurchdringlichen Wälder am Rio Negro, diese Pal-
menwelt n i c h t zu sehen. Es würde Dir unmöglich sein,
Dich hinterher an einen Tannenwald zu gewöhnen. Nur
hier, in dem tropischen Teile von Südamerika, ist die Welt
25 recht eigentlich grün."
    Von Venezuela fuhr Humboldt mit seinem Freunde
nach Kuba, um hier außer seinen naturwissenschaftlichen
Studien auch wirtschaftliche Untersuchungen eines Tro-
penlandes im Kulturzustand zu unternehmen.
30   Die Nachricht, daß die französische Regierung den Kapitän Baudin nun doch auf eine Weltreise geschickt hätte,
brachte Humboldt wieder nach Südamerika zurück, denn

---

[89] genießend eating and drinking   [90] bestimmt destined
[91] sich auf-opfern to sacrifice oneself

den Zeitungsberichten nach [92] war Baudin auf dem Wege
nach Kap Horn, und Humboldt wollte ihn in einem Hafen
Perus oder Ecuadors treffen. Von Cartagena in Columbien
fuhr er den Magdalenenstrom aufwärts und wanderte dann
in anstrengenden Bergreisen nach Quito in Ecuador. Dort 5
erfuhr er, daß die Zeitungsberichte falsch gewesen waren,
daß Baudin seinen Weg ums Kap der guten Hoffnung
genommen habe. Humboldt war zwar anfangs sehr enttäuscht, doch an derartige Enttäuschungen gewöhnt,
änderte er seine Reisepläne. Er sollte das nicht bereuen, 10
denn die Vulkane Ecuadors, die Bergwelt der Anden, das
Studium der alten Inka-Kultur entschädigten ihn reichlich
für eine Weltreise, bei der er ja doch nie Zeit gehabt hätte,
das Innere der Länder zu besuchen, deren Häfen das Schiff
anlief.[93]   15
    Quito, die Hauptstadt Ecuadors, wurde Humboldts
Hauptquartier. Fast acht Monate brachte er in der Stadt
selbst und in dem Tale Quitos mit wissenschaftlichen Unternehmungen aller Art zu, denn dies war der ideale Platz,
Material für seine vielseitigen Studien zu sammeln. Herder, 20
der Freund und Lehrer Goethes, hatte ein Werk geschrieben, das durch den Versuch, Natur und Geschichte als
einen einheitlichen Organismus zu betrachten, an Humboldts Denkweise erinnert. In diesem Werk, „Ideen zur
Philosophie der Geschichte der Menschheit" sagt Herder 25
von dem „silber- und greuelreichen [94] Peru": „In keiner
Gegend der Welt hätte die Naturlehre hinsichtlich der
Geschichte und Entstehung der Erde so viel zu lernen als
hier; aber ach, warum sind die Spanier die Besitzer dieser
ausgezeichnetsten Gegend?"   30
    Trotz der Spanier lernte Humboldt sehr viel im benach-
barten Ecuador, und was er lernte, gehörte zum größten

---

[92] **den Zeitungsberichten nach** according to the newspaper reports
[93] **an-laufen** to call at   [94] **greuelreich** rich in horrors

Teil in das weite Gebiet der Geophysik, die er, wie kein
anderer Forscher vor ihm, bereichert hat. Mit Geophysik,
einem Ausdruck, der erst nach Humboldts Zeit eingeführt
wurde, wird das Gebiet der Geographie bezeichnet, das
5 alle physikalischen Vorgänge [95] unter, auf und über der
Erde umfasst,[96] wie Klima, Meeresströmungen, Winde,
magnetische Erscheinungen, Temperatur, Luftdruck usw.
Das besondere Interesse Humboldts für Ecuador galt [97]
aber den Vulkanen in der näheren und weiteren Umgebung
10 von Quito. Er bestieg viele derselben unter großen Gefahren und machte seine geologischen Beobachtungen und
chemischen Analysen der aufsteigenden Gase. Dort kam
ihm auch die Erkenntnis von der reihenweisen [98] Anordnung der Vulkane, die wahrscheinlich am Rande unterir-
15 discher Spalten [99] stehen. Was er beim Studium der amerikanischen Vulkane erkannt hatte, verglich er später mit
seinen Beobachtungen beim Besteigen des Vesuv und
wurde eine internationale Autorität auf dem Spezialgebiet
vulkanischer Erscheinungen.
20   Mit Carlos Montúfar, dem jungen Sohn eines revolu-
tionär denkenden Marquis in Quito, dessen Gast Humboldt
war, und mit Bonpland versuchte er, den Chimborazo, ein-
en erloschenen Vulkan, den, wie er glaubte, höchsten Berg
der Welt, zu besteigen. Humboldt war ein außerordentlich
25 guter Fußgänger und Bergsteiger; oft ermüdete er selbst
die Eingeborenen, die mit ihm nicht Schritt halten [1] konnten. Auch bei der Besteigung des Chimborazo gingen die
Eingeborenen nur bis auf eine bestimmte Höhe mit. Dann
kehrten sie trotz Bitten und Drohungen um, denn sie
30 litten an Atembeschwerden.[2] Nur ein Mestize,[3] der das

[95] der **Vorgang** process   [96] **umfassen** to embrace
[97] **galt** was directed to   [98] **reihenweise** in rows or series
[99] (die **Spalte** fissure)   [1] **Schritt halten** to keep pace
[2] (**Atembeschwerden** shortness of breath)
[3] (der **Mestize** mestizo, half-breed)

Barometer trug, folgte den drei tapferen Männern. Der
Weg wurde immer gefährlicher, denn bald mußten sie auf
Händen und Füßen auf einem oft nur zwanzig Zentimeter
breiten Felsgrat [4] in der Richtung des Gipfels weiter-
klettern.

5

Der junge Montúfar war am Ende seiner Kräfte und
blutete aus Mund und Nase. Auch der kräftige Bonpland
und der Mestize konnten kaum noch weiter. Humboldt
kletterte den anderen voran, als er plötzlich vor sich einen
Abgrund [5] sah, der einen weiteren Aufstieg zu dem unge- 10
fähr 400 m höheren Gipfel unmöglich machte. Sie mußten
umkehren, aber erst maß Humboldt die von ihm erreichte
Höhe und schrieb in sein Reisetagebuch unter das Datum
23. Juni 1802 18 096 Pariser Fuß (5 917 m). Diese Höhe
hatte vor ihm noch kein Mensch erreicht.

15

Humboldts Rekord ist auch in unserem sportlichen
Zeitalter, das die Besiegung des 8 880 m hohen Mount
Everest erlebt hat, eine erstaunliche Leistung, denn der
kletternde Naturforscher hatte weder eine Sauerstoffmaske
noch Bergschuhe. Auch war Bergsteigen als Sport unbe- 20
kannt, und infolgedessen konnte er nicht von Erfahrungen
anderer lernen. Auf dem Abstieg steckten die drei Freunde
kleine Steine in die Tasche, denn sie sahen voraus, daß man
sie in Europa oft um „ein Stückchen vom Chimborazo"
bitten würde.

25

Sechsundzwanzig Jahre später schrieb Humboldt an
einen befreundeten Geographen: „Ich habe mir mein Lebtag [6] etwas darauf eingebildet,[7] unter den Sterblichen derjenige zu sein, der am höchsten in der Welt gestiegen ist.
Wie lange haben die Menschen gestaunt über die Höhe 30
der Kordilleren, die ihnen von La Condamine und den

---

[4] (der Felsgrat ridge)   [5] der Abgrund precipice
[6] mein Lebtag all my life
[7] sich etwas ein-bilden auf to pride oneself greatly on

anderen peruanischen Geodäten bekanntgemacht worden
war, und ich habe dieses Staunen geteilt und bin stolz
gewesen auf meine Aszension." Er fährt dann fort, von
den Himalajabergen zu sprechen und wie neidisch er dar-
5 auf gewesen sei, daß der Engländer Webb dort den Chim-
borazo-Rekord gebrochen hätte. Er habe sich aber damit
getröstet, daß seine Arbeiten in Amerika die Engländer
auf den Gedanken gebracht hätten,[8] die Kolosse des Hi-
malaja-Gebirges endlich einmal zu messen.
10 Als Humboldt, neunzig Jahre alt, einem Portraitmaler
Modell saß, wollte er nicht mit seinen vielen Orden gemalt
werden. Statt dessen bat er den Künstler, ihm den Chimborazo als Hintergrund zu geben, denn die Besteigung
dieses Berges sei seine größte Tat gewesen.
15 Es war aber nicht seine letzte große Tat auf dem südamerikanischen Kontinent. Die Gastfreundschaft der Montúfars auf ihrer Hacienda in der Nähe von Quito, selbst
das Interesse, das Rosa Montúfar, die Schwester des jungen
Carlos für den berühmten Gast ihres Vaters zeigte, konn-
20 ten Humboldt nicht länger zurückhalten.
Von Carlos Montúfar und Bonpland begleitet, wanderte er auf steilen Bergpfaden nach Peru weiter. Überall
sah er die Überreste der mächtigen Inka-Kultur, die Pizarro
und seine Banden so sinnlos zerstört hatten. Humboldt
25 zeichnete die Inka-Ruinen und die Überreste der kunstvoll
gebauten altperuanischen Straßen. Diese Zeichnungen, die
mit künstlerischem Geschick und wissenschaftlicher Genauigkeit ausgeführt wurden, erschienen später als Illu-
strationen zu den betreffenden [9] Teilen seines Werkes über
30 Südamerika. Derartige Abbildungen gab es noch nicht,
und zusammen mit Humboldts eingehenden Studien über
die alte Inkakultur stellen sie einen wertvollen Beitrag zur
Kenntnis alter amerikanischer Kulturen dar. Zu den vielen

[8] auf den Gedanken bringen to suggest to   [9] betreffend in question

Verdiensten des großen Mannes gehört auch der, der erste
Archäologe Südamerikas gewesen zu sein.

Ehe Humboldt Peru verließ, wollte er noch einen seiner
romantischen Jugendträume erfüllen. Er wollte den Pazi-
fischen Ozean sehen. Der erste Anblick des „Pacifico" war 5
so überwältigend, daß er vergaß, seine gewöhnlichen Messungen zu unternehmen. Das tiefblaue Tropenmeer vor
Augen, ritt er die westliche Kordillere hinab, auf Trujillo
zu,[10] eine kleine Küstenstadt, die Pizarro gegründet und
nach seiner Heimatstadt benannt hatte. Aber Humboldt, 10
den die Brutalitäten des spanischen Fanatikers Pizarro und
die Zerstörung der Inkakultur tief bewegten, konnte jetzt
nur an eines denken. Warum waren die Küsten Perus eine
trockene Wüste? Warum war hier jahrhundertelang kein
starker Regen gefallen? 15
Er maß die Temperatur des Ozeans und der Luft und
fand den Grund für den Mangel an Regenfall in der kalten
Meeresströmung, die, von Süden kommend, an der Küste
Perus vorbeistreift und dann nach Westen abbiegt. Humboldt hat diese Strömung nicht entdeckt. Seefahrer und 20
Fischer kannten sie lange vor ihm, aber er hat ihren Einfluß auf das Küstenklima Perus erkannt, und darum trägt
sie als Humboldtströmung seinen Namen.
Diese Strömung ist auch für den Reichtum an Fischen
und infolgedessen an fischfressenden Seevögeln verant- 25
wortlich. Die Exkremente dieser Vögel, der sogenannte
Guano, bedeckten die Inseln und teilweise auch die Küste
Perus in dicken Schichten, und an vielen Stellen gab es
bis zu 60 m hohe Hügel, die aus nichts anderem als Guano
bestanden. Humboldt, wie viele Ethnologen vor ihm, 30
wußte, daß die alten Inkas ihre Felder mit Guano düng-
ten,[11] aber nur Humboldt faßte den Gedanken,[12] daß

[10] auf . . . zu in the direction of   [11] (düngen to fertilize)
[12] den Gedanken fassen to realize

Guano nach Europa exportiert werden könne. Er machte
mit Guano Experimente und brachte Proben dieses Natur-
produktes nach Europa, wo man bald erkannte, daß Humboldt recht hatte, wenn er den Peruguano das beste
5 Düngemittel [13] nannte, das je auf ein Feld gekommen war.
Das Endergebnis seiner Experimente und Mühen war ein
Handelsartikel, an dem Peru und englische sowohl wie
hamburgische Kaufleute Millionen verdienten. Die Han-
delsstatistik belehrt [14] uns, daß im Jahre 1856 324 000 t
10 Peruguano nach Europa importiert wurden. Humboldts
Biographie belehrt uns, daß der verarmte Gelehrte zwei
Jahre später als neunundachtzigjähriger Greis,[15] alles, was
er besaß, seinem treuen Diener Seifert schenkte, dem er
oft den monatlichen Lohn nicht hatte auszahlen können.
15 Die Tragik so vieler großer Männer war auch die Humboldts: Er ging arm und verschuldet aus einer Welt, die
durch sein Werk und sein Leben eine reichere und bessere
Welt geworden war.

Der junge Humboldt, der in der Umgebung von Callao
20 den Guano besichtigte und seine Experimente machte,
hatte keine anderen Sorgen als die, daß seine Instrumente
abgenutzt [16] waren und daß er schon vier Jahre lang nicht
mehr über den Fortschritt der Naturwissenschaften in Europa unterrichtet war. Er benutzte deshalb die erste Gele-
25 genheit, Südamerika zu verlassen und fuhr mit seinen
Freunden auf der Fregatte Orúe nach Guayaquil, dem
Hafen Ecuadors, und von dort nach Acapulco.

Er hatte geplant, nur kurze Zeit in Mexiko zu bleiben,
aber wieder zwang ihn das Schicksal, seine Pläne zu än-
30 dern. Er blieb ein ganzes Jahr dort und konnte auf diese
Weise Materialien zu einem umfangreichen Werk über
diese reichste Kolonie des spanischen Königs sammeln,

---

[13] (das Düngemittel fertilizer)   [14] belehren to inform
[15] der Greis old man   [16] ab-nutzen to wear out

einem Werk, das nur er schreiben konnte, denn kein Naturforscher verstand so viel von Volkswirtschaft und Verwaltung wie Humboldt, der ehemalige Kameralist [17] und
Staatsbeamte.

Nach Kuba zurückgekehrt, wo er und Bonpland ihre [5]
Sammlungen aufbewahrten,[18] erhielt er eine Einladung
von Thomas Jefferson, dem Präsidenten der Vereinigten
Staaten, nach Nordamerika zu kommen. Acht Wochen ver-
lebte Humboldt in den Staaten, drei davon als persönlicher
Gast des Präsidenten in Monticello. Der amerikanische [10]
Präsident und der deutsche Naturforscher verstanden einander gut, denn sie waren beide humanistisch gebildete
Männer und Naturwissenschaftler. Jefferson hatte gerade
—es war das Jahr nach dem Ankauf von Louisiana—Lewis
und Clark auf eine Forschungsreise den Missouri hinauf [15]
geschickt und war begierig, sich mit dem größten For-
schungreisenden seiner Zeit über die Schwierigkeiten solch
einer Reise zu unterhalten.

Am 3. August 1804 kam Humboldt mit seinen Freunden
in Bordeaux an. Paris, ja ganz Europa, empfing die tot-[20]
geglaubten Reisenden mit Jubel.[19] Humboldt hatte zu
Wasser und zu Lande 70 000 km zurückgelegt. Er und sein
Freund Bonpland hatten Tausende von Pflanzen, Minera-
lien, Insekten, Tierhäuten [20] und Kulturobjekten nach Europa geschickt oder selber mitgebracht. Die Reisekosten [25]
hatte Humboldt für sich und seinen mittellosen Freund
Bonpland aus eigener Tasche bezahlt und über ein Drittel
seines geerbten [21] Geldes ausgegeben.

Nun begann er sein zweites großes Unternehmen, das
viel länger dauern sollte als die Reise und den Rest seines [30]
Vermögens verschlang: [22] die Veröffentlichung der auf der

---

[17] der **Kameralist** student of finance   [18] **auf-bewahren** to store
[19] der **Jubel** great joy and festivity   [20] (die **Tierhaut** animal skin)
[21] **geerbt** inherited   [22] **verschlingen** to eat up

Reise gemachten Erkenntnisse. Von 1808 bis 1827 lebte Humboldt fast ununterbrochen in Paris, denn nur dort konnte er damals einen Verleger finden, der so ein Riesenwerk unternehmen konnte. Noch wichtiger war, daß Paris 5 damals das Zentrum der naturwissenschaftlichen Forschung war, und daß die größten Gelehrten Humboldt ihre Mitarbeit anboten. Daß er es auf französisch schrieb, hatte schließlich auch seinen Grund darin, daß Französisch damals als Sprache der Wissenschaft und Diplomatie Welt- 10 geltung hatte. Es sollte auch nicht unerwähnt bleiben, daß Humboldt, der witzige elegante Gesellschaftsmensch in dem hochkultivierten Paris dieser Tage sein wahres Lebenselement fand. Er war das, was Nietzsche später den Menschentyp der Zukunft nannte, ein guter Europäer.

15 Der Titel des Werkes hieß „Voyage aux régions equinoctiales du nouveau continent" (Reise in die Tropengegenden des Neuen Kontinents). Es wuchs zu dreißig Bänden an mit 1425 Abbildungen und Karten. Der Preis des Gesamtwerkes war 7 659 Mark, d.h. nur Könige und sehr 20 große Bibliotheken konnten sich das Gesamtwerk kaufen. Humboldt verbrauchte den Rest seines Vermögens, über 50 000 Taler, für dies Werk, und ohne häufige finanzielle Unterstützung des Königs von Preußen wäre es nie fertig geworden.

25 Der verarmte Humboldt mußte infolgedessen als Kammerherr [23] in den Dienst Friedrich Wilhelms III. treten und sein geliebtes Paris mit Berlin vertauschen.[24]

Dauernder Geldmangel verhinderte den Gelehrten von nun an, seine weiteren Reisepläne, die Indien und Afrika 30 betrafen, durchzuführen. Das Schicksal erfüllte ihm nur noch den einen Wunsch, Asien kennenzulernen. Zar Nikolaus I. lud ihn ein, als Gast der russischen Regierung eine

---

[23] (der Kammerherr chamberlain)   [24] vertauschen to exchange

Reise durch das russische Asien bis zur Grenze der chinesischen Dschungarei zu unternehmen. Trotzdem Humboldt diese unter Kosakenbegleitung [25] mit großer Geschwindigkeit zurückgelegte Reise bildlich [26] und wörtlich im Frack [27] machen mußte, hat auch sie ihm 5 geholfen, die Wissenschaft zu bereichern. An Wichtigkeit mit seiner amerikanischen Reise nicht vergleichbar, hat seine asiatische Reise zu Veröffentlichungen geführt, die die Kenntnisse Asiens und der Klimatologie wesentlich erweitert haben.   10

Humboldt war sechzig Jahre alt, als er ins russische Asien reiste. Die ihm noch verbleibenden drei Jahrzehnte waren der Arbeit an seinem „Lebenswerk" gewidmet, einer physischen Weltbeschreibung, die den einfachen aber allumfassenden Titel *Kosmos* trug. Er schrieb darüber an seinen 15 Freund Varnhagen von Ense, einen preußischen Diplomaten: „Ich habe den tollen [28] Einfall, die ganze materielle Welt, alles, was wir von den Erscheinungen der Himmelsräume und des Erdenlebens, von den Nebelsternen bis zur Geographie der Moose auf den Granitfelsen wissen, 20 in einem Werke darzustellen." 1841 lesen wir in einem Brief an denselben Empfänger: „Daß ein solches Werk nicht vollendet wird von einem aus dem Kometenjahr [29] 1769, ist sonnenklar."

Nun, „der Alte vom Berge", wie sich der alte Humboldt 25 in Erinnerung an seine Chimborazo-Besteigung gerne nannte, hinterließ bei seinem Tode, 1859, ein Werk von fast tausend Seiten, das zwar Fragment geblieben war, aber, in alle Kultursprachen übersetzt, den Ruhm seines Verfassers in der gelehrten und ungelehrten Welt auf Jahr- 30 zehnte hinaus lebendig erhielt.

[25] (die **Kosakenbegleitung** escort of **Cossacks**)
[26] **bildlich** figuratively   [27] (der **Frack** full-dress suit)
[18] **toll** mad   [29] das **Kometenjahr** cometary year

Es ist verhältnismäßig leicht, Humboldts wissenschaftliche Leistungen aufzuzählen; es ist viel schwerer, fast unmöglich, seine weitreichende Wirkung auf die Naturwissenschaft zu bestimmen. Gilt dies von Humboldt dem Wissenschaftler, so gilt es auch von Humboldt dem Menschen.
5 Sein rein menschlicher Einfluß auf die großen und anonymen Zeitgenossen war eine fühlbare Macht. Sie läßt sich erkennen in der Verehrung, die Simon Bolívar, der Washington Südamerikas, für Humboldt hatte. Bolívar sagte,
10 Humboldt hätte mehr für Amerika getan als alle Conquistadores. Humboldts menschliche Wirkung läßt sich erkennen in der Verehrung Frémonts, der Humboldts wissenschaftliche und menschliche Verdammung der Sklaverei und der Rassenvorurteile als politische Waffe benutzte.
15 Frémont schrieb später an Humboldt: „Die Geschichte Ihres Lebens und Ihrer Ideen geben uns die Überzeugung, daß Ihr großer Name uns Kraft geben wird im Kampfe um den liberalen Fortschritt dieses Landes."

Humboldt, der Mensch und Denker, ist geschichtlich
20 betrachtet ein Vertreter der Humanitätsepoche im deutschen Geistesleben. Humanität war für die Großen dieses Zeitalters der Glaube an die Möglichkeit einer freien, vollen Entwicklung aller aufbauenden menschlichen Kräfte, und an die Menschheit als eine Einheit, die sich einmal
25 über die Schranken der Nationalitäten, Rassen und Religionen erheben werde, um ihre wahre Bestimmung [30] zu erfüllen; ein Glaube, zu dem wir Menschen des Atomzeitalters uns auch bekennen.[31]

[30] die Bestimmung destiny   [31] (sich) bekennen to profess

EXERCISE

Questions

1. Warum war die Ankunft eines Schiffes ein Ereignis in Aca-pulco?
2. Was war so ungewöhnlich daran, daß Humboldt die Erlaubnis bekommen hatte, das spanische Kolonialreich als Naturforscher zu durchreisen?
3. War es nur Wanderlust, die Humboldt in die tropischen Länder getrieben hatte?
4. Welchen Zweck hatten Humboldts Wanderungen an der Küste von Acapulco?
5. Woher kennen viele Amerikaner Humboldts Namen, auch wenn sie nichts weiter von ihm wissen?
6. Inwiefern unterschied sich La Condamines Expédition von der Humboldts?
7. Wie hatte schon der junge Humboldt sein menschliches Mitgefühl mit dem Los der unteren Volksklassen gezeigt?
8. Was tat Humboldt, um das Höhenprofil Spaniens darstellen zu können?
9. Was war das große wissenschaftliche Ziel von Humboldts Reise?
10. Warum war Humboldt ein Gegner der Naturphilosophie, wie sie die idealistischen Philosophen Schelling und Hegel vertraten?
11. Was läßt sich als typisch deutsch in Humboldts Wesen bezeichnen?
12. Welcher Vegetationsgürtel eines Tropenberges würde der Vegetationszone im arktischen Gebiet entsprechen?
13. Warum freute sich Humboldt, in Venezuela an Land gestiegen zu sein?
14. Weshalb fuhr Humboldt den Casiquiare hinab?
15. Welche Methode benutzten die Indianer, um die Zitteraale zu „entladen"?
16. Inwiefern sind Humboldts Naturschilderungen mehr als Wortphotographien?
17. Welche der vielen Stimmen des Urwaldes hat Humboldt genau untersucht, und wo hat er diese Untersuchungen veröffentlicht?

18. Welche Ähnlichkeit besteht zwischen der Denkart Humboldts und der Herders?
19. Was für Beziehungen hatte Humboldt zu den Montúfars von Quito?
20. Warum kann man Humboldt den ersten Archäologen Südamerikas nennen?
21. Warum wollte Humboldt nach vier Jahren Abwesenheit von Europa seine Reise beenden?
22. Welche Unternehmungen hatten Humboldt sein ganzes Vermögen gekostet?
23. Warum brachte Humboldt so viele Jahre seines Lebens in Paris zu?
24. Wodurch unterschied sich Humboldts Reise in die asiatischen Teile Rußlands von seiner Reise in die Tropengegenden Amerikas?
25. Wovon handelt Humboldts Buch *Kosmos*?
26. Welche von Humboldts liberalen Ideen ist heute (in der zweiten Hälfte des zwanzigsten Jahrhunderts) so modern und so wichtig, wie sie zu seiner Zeit war?

Translation Aids

1. werden

Before translating a construction in which some form of **werden** occurs, you will have to determine in which of the three functions it is used: (*a*) as independent verb; (*b*) as auxiliary to a past participle to form the passive voice; or (*c*) as auxiliary to an infinitive to form the future tense.

(*a*) **er wird** *älter*   *he gets (grows, becomes) older*
(*b*) **das Haus wird** *gebaut*   *the house is being built*
(*c*) **er wird bald** *schreiben*   *he will write soon*

In addition, you will have to determine the tense in uses *a* and *b*. In *c*, only the present tense is used; here **wird**, or its plural **werden**, always means *will*.

(*a*)	PRES.	wird	*becomes*
	PAST	wurde	*became*
	PRES. PERF.	ist . . . geworden	*has become*
	PAST PERF.	war . . . geworden	*had become*
	FUTURE	wird . . . werden	*will become*
(*b*)	PRES.	wird . . . . past part.	*is*
	PAST	wurde . . . past part.	*was*
	PRES. PERF.	ist . . . . . past part. *worden*	*has been*
	PAST PERF.	war . . . . past part. *worden*	*had been*
	FUTURE	wird . . . . past part. werden	*will be*

(*a*) **sind bekannt geworden** *have become known*
    war Arzt geworden *had become a physician*

(*b*) **wurde veröffentlicht** *was published*
    wurden erzählt *were told*
    ist geleistet worden *has been done*

The passive infinitive consists of a past participle and **werden**. The form **werden** always means *be*: **muß gebaut werden** *must be built*

verdient genannt zu werden   *deserves to be named*
muß erwähnt werden   *must be mentioned*
kann gerettet werden   *can be saved*

2. Reflexive Construction

If a German reflexive verb has no corresponding construction in English, you will do well to translate it with a passive construction or, if this is not possible, express it in idiomatic English.

Im Dorf befinden sich Bauern usw.   *In the village are found peasants, etc.*
Die Liebe zum Walde zeigt sich   *Love for the forest is evident*
Varianten finden sich   *Variants are found*

3. sich *lassen*

When you come across **lassen** used with **sich**, you should first determine whether the subject of the sentence is a thing or a person.

(*a*) If the subject is a thing or an abstraction, translate **läßt sich** by *can be* and **ließ sich** by *could be* and the German infinitive by the past participle.

Die Vitalität des Faustproblems läßt sich nachweisen.   *The vitality of the Faust problem can be shown.*
daß sich keine Löcher finden ließen   *that no holes could be found*

(*b*) If the subject is a person, translate **läßt sich** by *has* and **ließ sich** by *had*, and the German infinitive by the past participle.

die er sich von einem Lehrer korrigieren ließ   *which he had corrected by a teacher*
den er sich hatte bauen lassen   *which he had had built*

4. *sein* plus a dependent infinitive

When a form of **sein** has a dependent infinitive with **zu**, this infinitive has passive force in English. In accordance with the meaning of the sentence in which it occurs, translate **ist** or **war** by *can, could, must, had to, is to* or *was to*, plus the passive infinitive.

die nur in mündlicher Tradition zu finden war   *which could be found only in oral tradition*
was übrigens symbolisch zu verstehen ist   *which, incidentally, must be understood symbolically*

daß hier Arbeit zu leisten war *that work had to be done here*
was zu erwarten war *which was to be expected*

5. *sollen*

Like most students you too may be tempted to translate a form of sollen by *shall* or *should*. In many instances, however, one of the following meanings will furnish a more exact and idiomatic translation of the German.

(*a*) soll *is said to, is to, is supposed to*

Hegel soll geantwortet haben *Hegel is said to have answered*
. . . , wo dieser töten soll . . . , *where the latter is to kill*

(*b*) sollte *was said to, was to, was supposed to; should, ought to*

Jedes Wort sollte gegeben werden *Every word was to be given*
Viele Jahrzehnte sollten vergehen *Many decades were to pass*
. . . der an diesem Abend dirigieren sollte . . . , *who was supposed to conduct that evening*

6. Subjunctive

(*a*) The presence of an e-ending instead of a t in the third person singular of the present tense and the form sei indicate a subjunctive form. When used in a direct statement translate by *may, shall,* or *should* and the infinitive:

Man vergesse nicht *One should not forget*
Dieser Fall diene als Beispiel. *This case may serve as an example.*
Man glaube nicht, daß . . . *One should not believe that . . .*
Nur ein Beispiel sei erwähnt! *Only one example shall be mentioned!*

(*b*) The wir-form used in inverted order and followed by an exclamation point is best translated by *Let us* and the infinitive:

Versuchen wir es jetzt zu erklären! *Let us now try to explain it!*
Seien wir aber nicht ungerecht! *But let us not be unjust!*

(*c*) In the conditional clause translate subjunctive forms which are derived from the past indicative by the past form (*If he went*) and in the conclusion by *would* and the infinitive (*I would go*)

Wenn sie es wüßten, kämen sie. *If they knew it, they would come*

(*d*) Subjunctive forms which are derived from the past perfect should be translated by the past perfect in the condition (*If he had gone*) and by *would* and the perfect infinitive in the conclusion (*he would have gone*)

Wenn sie es gewußt hätten, wären sie gekommen. *If they had known it, they would have come.*

Es wäre nicht möglich gewesen. *It would not have been possible.*

(*e*) The meaning of some modal auxiliary verbs depends on whether they are used in the clause which states the condition or the conclusion.

CONDITION		CONCLUSION
wenn er müßte	*if he had to*	*he would have to*
wenn er dürfte	*if he were permitted to*	*he might*
wenn er könnte	*if he were able to*	*he could*
wenn er möchte	*if he would like to*	*he would like to*
wenn er wollte	*if he wanted to*	*he would want to*
wenn er sollte	*if he should*	*he ought to, he should*

Sie sollte es eigentlich schicken. *She really ought to send it.*

Wenn er wirklich müsste, könnte er es tun. *If he really had to, he could do it.*

(*f*) Again, when you are confronted with a compound form of the modal auxiliaries (**er hätte gehen können**), you should first determine whether the statement is used in a condition or a conclusion. Note from the following examples how the English differs in these two situations.

CONDITION		CONCLUSION
er hätte . . . müssen *had to*	*if he had*	*he would have had to*
er hätte . . . dürfen *been permitted to*	*if he had*	*he would have been permitted to*
er hätte . . . können *been able to*	*if he had*	*he could have*
er hätte . . . mögen *have liked to*	*if he would*	*he would have liked to*
er hätte . . . wollen *wanted to*	*if he had*	*he would have wanted to*
er hätte . . . sollen *been supposed to*	*if he had*	*he ought to have, he should have*

Der Name hätte heißen können *The name could have been*

Er hätte keine bessere Frau finden können. *He could not have found a better wife.*

Wenn er es hätte tun wollen, hätte er es gedurft. *If he had wanted to do it, he would have been permitted to do it.*

(g) German uses subjunctive forms in the indirect discourse; in other words, by using subjunctive forms the writer wishes to indicate that he does not regard the statement as true, or that he is repeating something someone else has said or written. You may, therefore, find subjunctive forms in several consecutive sentences. In English we have to employ here such phrases as: *X goes on to say, states further,* etc. Actually the German forms present no difficulty, since you use the indicative throughout. You should also, if necessary, disregard the tense in German and translate in accordance with your Sprachgefühl.

Die einen glaubten, daß er als Hund auf die Bühne springen *werde*. *There were those who believed that he would jump on the stage in the shape of a dog.*

Wolfgang sagt, er *habe* gelesen, daß der Teufel erschienen *sei*. *Wolfgang said that he had read that the devil had appeared.*

Manche sagen, Genie sei nichts als ungeheure Energie. *Some say that genius is nothing but enormous energy.*

7. Object First

(a) Frequently a German sentence begins with the object rather than the subject. Forms like **den, diesen, einen,** or **einem** clearly indicate the forms of the direct and indirect object. In such cases, you should first locate the subject which will be found immediately after the verb.

Den Geist dieser Zeit zeigt *die folgende Bemerkung.* *The following remark shows the spirit of that time.*

Einem kinderlosen Ehepaar wird *ein Kind* geboren. *A child is born to a childless couple.*

(b) In the case of feminine and neuter nouns and plural forms, detection of the direct object is only possible through the meaning of the sentence, since the forms **die, diese, seine,** are the same in both the nominative and accusative.

Die Geschichte verdirbt das Vorlesen. *Reading aloud spoils the story.*

Manche Märchen haben aber ihre Freunde gesammelt. *However, their friends have collected some fairy tales.*

Solche Theorien kann die moderne Forschung nicht mehr annehmen. *Modern research can no longer accept such theories.*

8. Inversion

(*a*) When a sentence begins with the verb and you don't find a question mark or an exclamation point at the end of the clause, you should begin your translation with *if*. The main clause is normally introduced by **so** or **dann**.

War die Meeresenge von Gibraltar die westliche, so war ein Kap an der Goldküste Afrikas die südliche Grenze. *If the Straits of Gibraltar was the western boundary, then a cape on the Gold Coast of Africa was the southern boundary.*

Fragt man einen Laien, so erhält man die Antwort . . . *If we ask a layman, then we receive the answer . . .*

War Rom verehrt worden, so wurde Athen vergöttert. *If Rome had been honored, then Athens was worshipped.*

(*b*) The *if*-clause may also follow the main clause:

Dieses Phänomen muß man im Auge behalten, will man . . . verstehen *We must keep this phenomenon in mind, if we want to understand . . .*

(*c*) When you find inversion and **auch** or **gleich** in the dependent clause and **so** or **doch** in the main clause, begin your translation with *even though.*

Hatte man auch den Don Juan in Prag verstanden, so war dies in Wien keineswegs der Fall. *Even though Don Juan had been understood in Prague, this was by no means the case in Vienna.*

9. Postpositions

Certain prepositions may follow rather than precede the noun or pronoun and are, therefore, called postpositions. The two most common ones are used in these essays: **nach** *according to* and **wegen** *on account of.*

unseren heutigen Begriffen nach   *according to our present day ideas*
der Uberlieferung nach   *according to tradition*
des Effektes wegen   *on account of the effect*

10. The Complex Attribute

In this construction a noun is modified by a phrase rather than by an adjective: die *das Publikum besonders interessierenden* Attraktionen rather than die *neuen* Attraktionen.

First of all you will have to notice that you are dealing with a complex attribute. You can recognize it by the "clash." As you translate *the the public,* you realize that *the* and *the* clash. You want a noun for the first *the* and your second step will be to find this noun. It is ordinarily preceded by a present participle or a past participle used as an adjective. The participle is your key word and comes third in your translation, i.e., *the attractions interesting;* then follows *especially to the public;* or using the key word as the verb of the relative clause, the translation now reads: *the attractions which especially interest the public.*

(*a*) *the key word is a present participle*
Translate the present participle by the active voice.

Die Phantasie des Volkes machte ihn zum Vertreter des alle Grenzen niederbrechenden Titanen. *The imagination of the people made him the Titan who breaks down all boundaries.*

(*b*) *the key word is a present participle governed by zu*
When the present participle which is governed by zu is not modified by an adverb, translate it by the perfect infinitive; when it is modified, by the active infinitive.

Dann unterhalten sie sich über das *aufzuführende* Stück. *Then they talk about the play to be presented.*
Es ist ein *leicht zu lösendes* Problem. *It is a problem easy to solve.*

(*c*) *the key word is a past participle*
Translate the past participle by the passive voice.

ein Volk, das sich auf seinem dem Meere *abgerungenen* Lande ange-siedelt hat *a people which settled on his land which had been wrested from the ocean.*

(*d*) *the key word is an adjective*
Supply a form of *to be* as the verb of the relative clause.

Faust hat den Weg zu einer der Gemeinschaft *nützlichen* Lebens-form gefunden. *Faust found the way to a form of life which is useful to the community.*

11. Relative Pronouns

The forms of the relative pronouns are similar to those of the definite article. You will have to watch especially for the forms **dessen** and **deren,** meaning *whose, of which* and **denen** *meaning* (*to*) *whom,* (*to*) *which.* When you find a form of **der, die, das** and **dessen, deren, denen** after a comma, and the verb stands at the end of the clause, you are dealing with a relative clause. Consequently **der** means *who* or *which;* **den,** *whom* or *which,* etc.

dessen Anfang   *whose beginning*
von denen der dritte   *of which the third*
deren seidene Gewänder   *whose silk gowns*

12. *da*(*r*)- compounds

The da(r)- may either refer to a noun (**damit** *with it,* **darauf** *on it*) or help introduce a dependent and infinitive clause. In such a case you must select one of the three possible translations.

(*a*) *the fact that*

Er machte Hegel darauf aufmerksam, daß . . . *He called Hegel's attention to the fact that* . . .
Es sei nur daran erinnert, daß . . . *We only have to remind ourselves of the fact that* . . .
Er ist stolz darauf, daß . . . *He is proud of the fact that* . . .

(*b*) disregard da(r)- and translate the verb of the dependent clause with the *-ing* form:

sie davor zu retten, vergessen zu werden   *to save them from being forgotten*
. . . **sind dafür verantwortlich, daß Faustus gejagt wird**   . . . *are responsible for F. being driven out*
Er versuchte Schliemann davon abzuhalten, . . . auszudeuten.   *He tried to keep Schliemann from interpreting* . . .

(*c*) disregard da(r)- or the entire da(r)- compound

Sie haben darauf hingewiesen, daß   *They have pointed out that*
Sie glaubten fest daran, daß   *They firmly believed that*
Das Publikum wartet darauf, . . . zu sehen   *The audience waits to see*

13. Adjectives used as nouns

(*a*) German frequently uses adjectives and past participles as nouns. Many examples occur in these essays. While some are now firmly established as nouns (**der Fremde** *stranger,* **die Geliebte** *sweetheart,* **der Verwandte** *relative,* **Erwachsene** *adults*), others must be translated by adding *one, person, boy, girl,* or *thing,* whatever the case may be.

>| der Verfolgte | *the persecuted person* |
>|---|---|
>| die Schlechten | *the wicked people* |
>| die Schöne | *the beautiful girl* |
>| der Klügere | *the more clever one* |
>| das Richtige | *the correct thing* |
>| der Neugierige | *the curious person* |
>| Arme | *poor people* |

(*b*) Sometimes the idea of the adjective-noun must be expressed by a relative clause: **das oben Gesagte** *that which has been said above;* **das Vergangene** *that which has passed.*

14. Anstatt, ohne, um with zu plus Infinitives

Of the three prepositions mentioned, two are followed by the -*ing* form in English.

(*a*) **anstatt . . . zu** *instead of*

> **anstatt die Erde in ein Paradies zu verwandeln** *instead of changing the earth into a paradise*
> **anstatt für sie zu reden** *instead of speaking in their behalf*

(*b*) **ohne . . . zu** *without*

> **ohne zu verstehen** *without understanding*
> **ohne gesehen zu haben** *without having seen*

(*c*) **um . . . zu** *in order to* is followed by an infinitive

> **um zu geben** *in order to give*
> **um zu suchen** *in order to look for*

Vocabulary

The plural is indicated for nouns; the genitive singular as well for weak masculine nouns. Principal parts for strong and irregular verbs are given. A separable prefix is indicated by a hyphen. Unless the accent is indicated, words are accented on the first syllable; words with inseparable prefixes, however, are accented on the root syllable. (*p.p.*) = past participle.

ab-biegen, o, o (ist) to turn
die Abbildung, –en illustration, picture
ab-brechen, a, o to break off; interrupt
das Abendland Occident, West; der Abendländer, – Westerner; abendländisch Occidental, Western
das Abenteuer, – adventure; abenteuerlich adventurous
ab-halten von, ie, a to keep from
die Abhandlung, –en essay, treatise
ab-hängen, i, a to depend
ab-laufen, ie, au (ist) to terminate, complete
ab-lehnen to decline
ab-nehmen, a, abgenommen to take off
Abschied nehmen, a, genommen to say good-by
der Abschreiber, – copyist
die Abschrift, –en copy, transcript
die Absicht, –en intention
sich ab-spielen to take place
die Abstammung descent
das Absterben decay, decline
der Abstieg, –e descent
die Abstinenz'lerbewe'gung, –en teetotailer movement
ab-weichen, i, i to deviate
die Abwesenheit absence

ach alas
die Achtung esteem
der Ackerbau agriculture
der Adel nobility; adlig noble
der Affe, –n, –n ape, monkey
das Ägä'ische Meer Aegean Sea
ähnlich similar; die Ähnlichkeit similarity
die Ahnung, –en presentiment
all all, entire; alles everything; everybody; vor allem above all
allerdings' to be sure
allgemein' general; im allgemei'-nen in general
die Allmacht omnipotence
allmäh'lich gradually
allumfassend all-embracing
das Almo'sen, – alms
als as; than; *conj.* when; as though
also therefore, so
das Alter age; altern to grow old; das Altertum antiquity; altgerma'nisch Ancient Germanic; das Altgrie'chische Ancient Greek
die Ameise, –n ant
an-bieten to offer
der Anblick view, sight
die Anden (*pl.*) Andes mountains
ander– other; anders differently; else; anderseits on the other hand
ändern to change

157

anderthalb one and one half
an-drehen to turn on
an-erkennen to recognize, acknowledge; die Anerkennung, –en
recognition
an-fallen, ie, a to attack
der Anfang, ⁺e beginning; anfangs
in the beginning; das Anfangsstadium, –stadien earliest stage
die Anfeindung, –en hostility
das Angebot, –e offer
an-gehören to belong to
angesehen (p.p.) respected, distin-
guished
der Angriff, –e attack
die Angst, ⁺e anxiety, fear
der Anhänger, – follower
sich an-hören to listen to
der Ankauf, ⁺e purchase
an-kommen, a, o (ist) to arrive
die Ankunft arrival
die Anmerkung, –en note, comment
an-nehmen, a, angenommen to accept; assume
an-ordnen to arrange, group; die
Anordnung, –en arrangement,
disposition
die Anregung, –en stimulation
an-schauen to look at; die Anschauung, –en idea, view
sich an-schließen, o, o to join
an-setzen to fix, schedule
die Ansicht, –en view
sich an-siedeln to settle
die Ansprache, –n speech, address
anstatt instead of
anstrengend strenuous; die Anstrengung, –en strain, hardship
der Anteil, –e part
die Anti'ke Antiquity
an-treffen, traf an, angetroffen to
meet
an-wachsen, u, a (ist) to grow to,
swell
anwesend present
die Anzahl number
an-ziehen, zog an, angezogen to
dress, attract
der Apparat', –e apparatus

die Arbeit, –en work, task, labor;
treatise, investigation; arbeitsam
industrious; das Arbeitsfeld, –er
field of activity; die Arbeitslei-
stung, –en achievement; die Arbeitslosigkeit unemployment; die
Arbeitsweise, –n manner of
working
sich ärgern über to be annoyed at
arisch Aryan
arm poor, needy, wretched; der
Arme poor man, pauper; Arme
poor people; das Armenkrankenhaus, ⁺er hospital for the poor,
charity hospital; die Armut pov-
erty
die Art, –en kind; manner, way
der Arzt, ⁺e physician; der Arztberuf medical profession; ärzt-
lich medical
(das) Aschenputtel Cinderella
die Assisten'tenzeit assistant days
atemlos breathless
auf on, upon; — und ab up and
down
aufbauend constructive
der Aufenthalt, –e stay, stop
auffallend striking
auf-fassen to conceive; interpret;
die Auffassung, –en concept
auf-finden, a, u to locate
auf-fischen to fish up
auf-fordern to ask, invite
auf-frischen to refresh
auf-führen to perform, give, present; die Aufführung, –en performance
die Aufgabe, –n task; problem;
auf-geben, a, e to give up, aban-
don
auf-gehen, ging auf, aufgegangen
(ist) to go up; rise
aufgeklärt (p.p.) enlightened
aufgeschlagen (p.p.) opened
sich auf-halten, ie, a to stop
auf-hören to stop, end
auf-kaufen to buy up
die Aufklärung Enlightenment,
Age of Reason

sich auf-lösen to melt, dissolve
aufmerksam machen auf to call attention to
die Aufnahme, –n reception; picture; auf-nehmen, a, o to receive; accept; take in, absorb
aufregend exciting
aufrichtig sincere, true
der Aufsatz, "e theme, essay, article
auf-schreiben, ie, ie to write down
auf-setzen to put on (one's head)
auf-steigen, ie, ie (ist) to rise
auf-stellen to put forth; sich — take one's place
der Aufstieg, –e rise, ascent
auf-treten, a, e (ist) to appear, come on the stage
auf-wachsen, u, a (ist) to grow up
aufwärts upward; up-stream
auf-weisen, ie, ie to show
auf-zählen enumerate
auf-zwingen, a, u to force upon
der Augenblick, –e moment
die Ausbeutung exploitation
der Ausblick, –e view; prospect
sich aus-breiten to spread
der Ausbruch, "e outbreak
aus-deuten to interpret
ausdrehen to turn off
der Ausdruck, "e expression; zum — kommen find expression; aus-drücken to express, state; die Ausdrucksform, –en form of expression
ausfindig machen to find out, learn
der Ausflug, "e excursion
aus-führen to carry out; execute; ausführlich detailed, in detail
die Ausgabe, –n edition
der Ausgangspunkt, –e starting point; point of departure
aus-geben, a, e to spend
ausgesetzt sein to be exposed
ausgesprochen (p.p.) marked, decided
ausgestreckt (p.p.) outstretched
ausgezeichnet (p.p.) excellent
aus-graben, u, a to dig up, excavate;

die Ausgrabung, –en excavation
das Ausland foreign country; ins — abroad
der Ausländer, – foreigner; ausländisch foreign
die Ausnahme, –n exception
aus-nutzen to make good use of, exploit
aus-packen to unpack
aus-reichen to suffice
aus-rufen, ie, u to call out; proclaim
ausschließlich exclusively
aus-sehen, a, e to look
die Außenwelt outside world
außer outside; besides; äußer– outer, external, outside; außerdem besides, moreover; außerhalb outside of; außerordentlich extraordinary; äusserst extremely
aus-setzen to expose
die Aussicht, –en view; prospect
aus-sprechen a, o to pronounce
aus-stellen to exhibit
aus-sterben, a, o (ist) to die out, become extinct
aus-üben to exert; have
aus-wählen to single out; select
der Auswanderer, – emigrant; die Auswanderung, –en emigration
auswendig lernen to memorize
aus-zahlen to pay out
aus-ziehen, zog aus, ausgezogen to take off
der Autoritäts'glaube belief in authorities

der Bachkenner, – Bach expert; das Bachwerk, –e work on Bach
die Bahnfahrt, –en train ride
der Bambusstab, "e bamboo stick
der Band, "e volume
die Bande, –n gang
die Barbarei' barbarism; die Barba'renhorde, –n horde of Barbarians
bärtig bearded
der Baske, –n, –n Basque
der Baß bass; deep voice
der Bau, Bauten construction; structure

der Bauch, ⁿe belly
bauen to build, erect
der Bauer, –n farmer; die Bäuerin, –nen farm woman
baumlang tall, strapping
der Baustil, –e architecture
(das) Bayern Bavaria; bayrisch Bavarian
bedecken to cover
bedenken, bedachte, bedacht to think, consider
bedeuten to mean, signify; bedeutend important; great; significant; bedeutsam significant; imposing; die Bedeutung, –en meaning; significance, importance; bedeutungsvoll meaningful
bedrohen to threaten
beeinflussen to influence
beenden to end, finish, complete
sich befassen mit to concern oneself with
befehlen, a, o to order
sich befinden, a, u to be, be found
der Befreier, – liberator, rescuer
die Befriedigung satisfaction
begabt gifted; die Begabung gift, talent
begegnen (ist) to meet, run into
begeistern to inspire, fill with enthusiasm; begeistert (p.p.) enthusiastic
begierig anxious
begleiten to accompany; der Begleiter, – companion, escort
beglücken to make happy
sich begnügen to content oneself
begraben, u, a to bury; das Begräbnis, –se funeral
begreifen, begriff, begriffen to understand, comprehend; der Begriff, –e idea, concept, term
begründen to found; der Begründer, – founder
begrüßen to greet
begünstigt favored
behalten, ie, a to keep, retain

behandeln to attend (medically), treat
behaupten to assert, maintain, claim; die Behauptung, –en assertion
beherrschen to dominate; master
bekommen, a, o to get, receive
bei at, near; with, among; in the case of; beim Baden while taking a bath
bei-behalten to keep, retain
beide both, two
der Beifall applause; der Beifallssturm, ⁿe thunder of applause
das Bein, –e leg
beinahe almost
das Beispiel, –e example; z.B. for example; beispielhaft exemplary
der Beitrag, ⁿe contribution; beitragen, u, a to contribute
bekannt (well-) known; familiar; — machen make known, introduce; am bekanntesten best known; die Bekanntschaft, –en acquaintance
sich beklagen to complain
bekriegen to make war upon
belebt animate
beleidigen to offend; beleidigend offensive, insulting
die Beleuchtung lighting
beliebt popular, favorite
belohnen to reward
belustigen to amuse
bemerken to observe; die Bemerkung, –en remark
sich bemühen to strive
benachbart neighboring
beneiden to envy
benennen, benannte, benannt to name
benutzen to use, employ
beobachten to observe, watch; die Beobachtung, –en observation
berechnen to calculate
bereichern to enrich; sich — feather one's nest
bereisen to visit
bereits already

bereuen to regret

der **Berg**, –e mountain; der **Berg-bau** mining; der **Bergmann**, –leute miner; die **Bergbestei-gung**, –en mountain-climbing; der **Bergpfad**, –e mountain path; das **Bergsteigen** mountain climb-ing; der **Bergsteiger**, – mountain climber; das **Bergwerk**, –e mine

der **Bericht**, –e report, account; **berichten** to report

der **Beruf**, –e profession; **berufen**, ie, u to call; appoint; **beruflich** professional; der **Berufs'archäo-lo'ge**, –e, –n professional arche-ologist; der **Berufskrieger**, – professional soldier

beruhen to rest (on); be due (to); be based (on)

berühmt famous; die **Berühmtheit**, –en celebrity, person of fame

die **Berührung** contact

die **Beschädigung**, –en damage, in-jury

sich **beschäftigen** to occupy oneself

beschämen to shame, make ashamed

bescheiden modest

beschenken to present

beschließen, o, o to decide

beschreiben, ie, ie to describe; die **Beschreibung**, –en description

sich **beschweren** to complain

beseelt sein to be animated

sich **besehen**, a, e to inspect, ex-amine

beseitigen to remove; put an end to

besichtigen to inspect

besiegen to overcome, conquer; die **Besiegung** conquest

besitzen, besaß, besessen to possess, own, have; der **Besitzer**, – owner, possessor; die **Besitzung**, –en pos-session

besonder– special; **besonders** espe-cially; nichts **Besonderes** nothing special

besorgt apprehensive, anxious

die **Bestätigung**, –en confirmation

bestehen, bestand, bestanden to be, exist; pass (*an examination*); — aus consist of; das **Bestehen** ex-istence

besteigen, ie, ie to climb; die **Bestei-gung**, –en ascent

bestimmen to determine; define; **bestimmt** certain; distinct, defi-nite

bestrafen to punish; die **Bestra-fung**, –en punishment

der **Besuch**, –e visit; **besuchen** to visit; attend

betonen to stress, emphasize

betrachten to consider; **beträcht-lich** considerable; die **Betrach-tung**, –en observation; considera-tion; die **Betrachtungsweise**, –n viewpoint

betragen, u, a amount to

betreffen, betraf, betroffen to con-cern

betreiben, ie, ie to pursue, carry on

betreten, a, e to enter

der **Betrüger**, – deceiver, imposter

beurteilen to judge; die **Beurtei-lung** judgment; criticism

die **Beute** spoil

die **Bevölkerung**, –en population

bevor-stehen, stand bevor, bevorge-standen to be imminent, impend-ing

bewachen to watch, guard

bewaffnen to arm

bewegen to move; stir; induce; die **Bewegung**, –en activity, move-ment, motion; die **Bewegungs-freiheit** freedom of movement

der **Beweis**, –e proof; **beweisen**, ie, ie to prove

die **Bewertung**, –en evaluation

der **Bewohner**, – inhabitant

bewußt conscious; **bewußtlos** un-conscious; das **Bewußtsein** con-sciousness

bezahlen to pay

bezeichnen to denote, call; indi-

cate; die **Bezeichnung,** –en des-
ignation, name
die **Beziehung,** –en connection, relation; sich **beziehen** auf to refer
to, relate to
der **Bezug:** mit — auf with regard
to
die **Bibliothek',** –en library
bieten, o, o to offer
das **Bild,** –er picture; image; **bilden**
to form; die **Bildung** education
bis until; — zu up to; **bisher'** up to
now
die **Bitte,** –n request, plea; **bitten,**
bat, gebeten request, ask
die **Bitterkeit** bitterness
blasen, ie, a to play; das **Blas'in-
strument',** –e wind-instrument
bläulich bluish
bleiben, ie, ie (ist) to remain
der **Blick,** –e glance; view; **blicken**
to look
blitzähnlich lightning-like
bloß mere
das **Blut** blood; **bluten** bleed
die **Blütezeit** golden age
blutig bloody
der **Bocksfuß,** ᵘe goat's foot
der **Boden** ground; soil
der **Bogen,** ᵘ sheet (of paper); arc
böhmisch Bohemian
bös(e) bad, wicked, evil; der **Böse**
the wicked (person); die **Bosheit,** –en malice; spite
der **Bota'niker,** – botanist; **botani-
sie'ren** to botanize
der **Brauch,** ᵘe custom; **brauchbar**
useful; **brauchen** to need; use
brausen to rage; roar
das **Bravorufen** shouting of bravo
die **Breitseite,** – en broadside
der **Brief,** –e letter; die **Briefsamm-
lung,** –en collection of letters
der **Bringer,** – bringer, originator
der **Bruch,** ᵘe breaking (off); die
Bruchstelle, –n place of fracture
der **Buchdruck** printing
der **Buchhalter,** – book-keeper

die **Bucht,** –en bay
büffeljagend hunting buffaloes
die **Bühne,** –n stage
der **Bund,** ᵘe alliance, agreement,
pact
das **Bündel,** – bundle
bunt colorful
die **Burg,** –en castle, citadel
der **Bürger,** – citizen; das **Bürger-
haus,** ᵘer middle-class home;
bürgerlich middle-class

die **Charakterisie'rungskunst** art of
characterisation; der **Charak'ter-
zug,** ᵘe characteristic
der **Chilewein,** –e Chilean wine
der **Christ,** –en, –en Christian;
christlich Christian; das **Christentum** Christianity

da adv. then, there; conj. since
dabei moreover, besides
das **Dach,** ᵘer roof
dahin there; bis — up to then
damalig of that time
damals at that time
die **Dampfmaschine,** –n steam-en-
gine
dankbar grateful
dar-bieten, o, o to offer, present
dar-stellen to represent; exhibit;
present; portray, describe; die
Darstellung, –en representation
darun'ter among them
das **Dasein** existence, life
dauern to last; take; **dauernd** con-
tinuous, constant
die **Decke,** –n ceiling
demgemäß accordingly
die **Denkart,** –en way of thinking;
denkbar conceivable; der **Denker,** – thinker; das **Denkmal,** ᵘer
monument; das **Denk'system',** e
system of thought
derartig of such a kind
deren whose, of which; their
derjenige that one; **diejenigen** those
deshalb therefore, for that reason
dessen whose; the latter's; of that

deutlich clearly

d.h. = das heißt that is to say

dicht dense, thick, heavy

der Dichter, – poet, writer; dichterisch poetic; die Dichtung poetry; literature

das Dickicht, –e thicket; jungle

dienen to serve; der Diener, – servant; der Dienst, –e service

diesmal this time

der Dilettant', –en, –en amateur

der Dirigen'tenstab, "e baton; dirigie'ren to conduct; beim Dirigie'ren while conducting

diskutie'ren über to discuss

doch nevertheless; after all; surely

die Doktorarbeit, –en doctoral dissertation

der Donner thunder

das Dorf, "er village

die Dornhecke hedge of thorns; das Dornrös'chen Sleeping Beauty

dortig of that place, there

der Drache, –n, –n dragon

dreifach threefold

dringen, a, u (ist) reach, penetrate (into); dringend urgent

das Drittel, – third

die Drohung, –en threat

drückend oppressive

die Dschungarei Dzungaria (region in China)

dumpf dull, deep-sounding

dunk(e)l– dark, obscure; die Dunkelheit darkness

durchaus quite; by all means

durch-brechen, a, o to break through

durch-dringen, a, u to penetrate

durch-fallen, ie, a (ist) to fail the examination

durch-führen to carry out, accomplish

durchleuch'ten to irradiate; die Durchleuch'tung, –en X-raying

durchrei'sen to travel through

durch-schneiden to cut through

durchschnittlich average; der

Durchschnittsbürger, – average citizen

sich durch-setzen to gain a footing, establish oneself

eben just

die Ebene, –n plain, level

ebenso just as; ebensowenig . . . wie neither . . . nor

echt genuine

die Ecke, –n corner

edel (inflected: edl–) noble

der Edelstein, –e precious stone

ehe before

die Ehe, –n marriage

ehemalig former

der Ehemann, "er husband; das Ehepaar, –e married couple

die Ehre, –n honor; ehren to honor, respect; die Ehrenstelle, –n honorable place; ehrenswert honorable; die Ehrfurcht reverence, awe; ehrlich honest, sincere

der Eifer zeal

eifrig eager, zealous

eigen own; eigenartig peculiar, distinctive

eigentlich real, actual

einander one another, each other

ein-bringen, brachte ein, eingebracht to bring in

ein-dringen, a, u (ist) to penetrate, invade

der Eindruck, "e impression; eindrucksvoll impressive

einfach simple; die Einfachheit simplicity

der Einfall, "e invasion; idea

der Einfluß, "e influence

ein-führen to introduce, import

der Eingeborene, –n, –n native

ein-gehen, ging ein, ist eingegangen to enter; eingehend detailed

ein-händigen to hand in, submit

die Einheit union; unit; einheitlich uniform, homogeneous, unified

sich einig sein to agree

einige some, a few

sich einigen to agree

ein-laden, u, a to invite; die Einladung, –en invitation

einmal once; auf — suddenly; nicht — not even; noch — once more

ein-nehmen, nahm ein, eingenommen to take; occupy

ein-reißen, i, i to tear down

einsam lonely; die Einsamkeit loneliness

ein-schalten to turn on, switch on

die Einschätzung rating

sich ein-schiffen to embark

ein-schließen, o, o to include

ein-sehen, a, e to realize

einseitig one-sided

einst once

ein-üben to practice

der Einwanderer, – immigrant

die Einzelheit, –en detail; einzeln individual, single; im einzelnen in detail

einzig only; einzigartig unique

der Eispanzer armor of ice

die Elastizitätslehre the theory of elasticity

das Elend misery

empfangen, i, a to receive; greet; der Empfänger, – receiver; addressee

empfinden, a, u to feel, experience; die Empfindung, –en feeling, sensation; perception

empor'-wachsen, u, a (ist) to grow up, spring

das Endergebnis, –se final result; endgültig final; definite; endlich final(ly); ultimately; die Endphase, –n final stage, final period; das Endstadium, –stadien final stage

eng narrow; close

entdecken to discover; reveal, disclose; der Entdecker, – discoverer; der Entdeckerruhm fame as discoverer; die Entdeckung, –en discovery; die Entdeckungsfahrt, –en expedition

die Entfaltungsmöglichkeit, –en possibility for development

die Entfernung, –en distance; sich entfernen to move away

entfernt distant; slightly; — sein to be away, be removed

entgegen-gehen, ging entgegen, ist entgegengegangen to approach

enthalten, ie, a to contain

die Enthauptung beheading

entkräften to weaken, exhaust

entladen, u, a to discharge; die Entladung, – en discharge

entlang along

entlassen, ie, a to dismiss, discharge

entmutigen to discourage, dishearten

entnehmen, entnahm, entnommen to take from

entschädigen to compensate

entscheiden, ie, ie to decide

sich entschließen, o, o to decide; der Entschluß, *e decision

sich entschuldigen to excuse oneself

entsprechen, a, o to correspond to, go hand in hand (with)

entstehen, entstand, entstanden (ist) to originate, come into being; die Entstehung rise; origin

enttäuscht disappointed; die Enttäuschung, –en disappointment

entweder either

entwerten to depreciate

(sich) entwickeln to develop; die Entwicklung, –en development; das Entwicklungsgesetz, –e law of development; entwicklungslos without development; die Entwicklungsstufe, –n stage of development

erbetteln to obtain by begging, beg

erbittern to embitter, incense

erblicken to see, discover

der Erdkörper globe

das Ereignis, –se event

erfahren, u, a to experience; hear, find out, learn; die Erfahrung, –en experience

VOCABULARY 165

erfassen to seize, grasp, comprehend
die Erfindung, –en invention
der Erfolg, –e success; erfolglos un-
successful, ineffectual; erfolgreich successful; der Erfolg-
reiche successful person
erforschen to investigate, examine;
die Erforschung investigation;
exploration
erfreuen to give pleasure
erfüllen to fulfill; erfüllt sein to be
filled
ergänzen to supplement
das Ergebnis, –se result
ergreifen, i, i to take up
erhalten, ie, a to get, obtain, receive; sich — preserve
sich erheben to rise; erhebend sub-
lime
erhoffen to hope for
erinnern to remind; sich erinnern
to remember; die Erinnerung
memory
sich erkälten to catch cold; die
Erkältung, –en cold
erkennen, a, a to perceive, recognize; detect; die Erkenntnis,
–se knowledge; realization; find-
ing
erklären to explain; announce; die
Erklärung, –en explanation
erlauben to permit; die Erlaubnis
permission
erleben to live to see; experience;
das Erlebnis, –se experience; die
Erlebniskraft energy of experience; die Erlebnisweise manner
of experiencing life
erlegen to kill (of animals)
die Erleichterung relief
erlernen to master
erliegen, a, e to succumb
erloschen (p.p.) extinguished; in-
active
erlösen to save; die Erlösung salvation, redemption
ermöglichen to make possible
ermorden to murder, assassinate;

der Ermordete, –n the murdered
man
ermüden to tire out; ermüdet tired
ernähren to feed; support
erneut renewed
erniedrigen to reduce, lower
ernst serious; ernsthaft serious;
ernstlich seriously
ernten to harvest; earn
erobern to conquer; der Eroberer,
– conqueror
erraten, erriet, erraten to guess
erreichen to reach; attain; achieve
erretten to save, rescue
sich erschaffen, erschuf, erschaffen
to create for oneself
erscheinen, ie, ie to appear; seem;
das Erscheinen appearance; die
Erscheinung, –en phenomenon
erschlagen, u, a to kill, slay
die Erschöpfung exhaustion
erschüttern to move; affect
ersetzen to replace
erst– first; adv. not until; only; die
Erstaufführung, –en first performance
das Erstaunen astonishment; er-
staunlich astonishing; das Erstaunliche the astonishing as-
pects; erstaunt astonished
erstens firstly
sich erstrecken to extend
ertönen to sound, resound
ertragen, u, a to bear
erwachen to awake
erwachsen (p.p.) grown-up; der
Erwachsene, –n grown-up, adult
erwähnen to mention
erwarten to expect; die Erwartung
expectation
erwecken to awaken
erweitern to enlarge, extend
erwerben, a, o to acquire, earn
erzählen to tell
die Erziehung education
ethisch ethical; e'thisch-sozial'
ethical-social
der Ethnolo'ge, –n, –n ethnologist,
anthropologist

etwa approximately; perhaps
etwas something, somewhat
evange'lisch evangelical, Protestant
ewig eternal, everlasting
das Expeditionsmitglied, –er member of an expedition
der Experimental'physiker, – experimental physicist

fabelhaft fabulous
der Fachman, –leute expert; die Fachsprache, –n professional terminology
fähig capable
die Fahrt, –en trip, journey
der Fall, ⁐e case, instance
der Fang catch, capture; fangen, i, a to catch
die Farbe, –n color; färben to color
fast almost
die Faustdichtung, –en literary treatment of the Faust legend; faustisch Faustian
der Faustkämpfer, – boxer
die Faustsage –n Faust legend; das Faustspiel –e Faust play
das Federmesser, – penknife
die Fee, –n fairy
fehlen to be absent, be lacking; fehlend missing
die Fehlerquelle, –n source of error
feiern to celebrate, praise; der Feiertag, –e holiday
der Feind, –e enemy; die Feindschaft, –en hostility
der Fels, –en, –en rock; das Felsenstück, –e piece of rock
die Ferien (pl.) vacation
fern far, distant; die Ferne distance
fertig ready, finished; fertig-stellen to finish
fest firm, permanent; (sich) festhalten to hold, keep, cling
festlich festive
fest-stellen to state; determine, establish; die Feststellung, –en statement; determination
die Festung, –en fortress
fett fat

feucht damp
der Filmstern, –e motion-picture star
finster dark; die Finsternis darkness
flackern to flicker
flattern to flutter
der Fleck, –en spot
fliehen, o, o (ist) to flee
der Fluß, ⁐e river; die Flußkultur, –en river-culture
die Folge, –n consequence; folgen to follow; pursue; obey; im folgenden in the following
fördern to further, promote; die Förderung, –en promotion
die Form, –en form, shape
die Formel, –n formula
das Forschen research, exploration; der Forscher, – research worker, scientific investigator; die Forschung, –en research; die Forschungsarbeit, –en research; die Forschungsreise, –n exploration trip; der Forschungsreisende, –n, –n explorer
das Fortbestehen continuation, continuance
fort-fahren, u, a, (ist) to continue
fort-führen to continue; to go on
fort-reiten, i, i (ist) to ride away
der Fortschritt, –e progress, advance
fort-setzen to continue
die Frage, –n question; problem; Fragen stellen to ask questions; nicht in — kommen to be out of question; fragen to ask; es fragt sich the question is; fraglich questionable
fränkisch Franconian
(das) Frankreich France
der Franzo'se, –n, –n Frenchman; franzö'sisch French
die Frechheit, –en insolence
die Fregat'te, –n frigate
frei free; im Freien in the open; die Freigebigkeit generosity; die Freiheit freedom; freiwillig voluntarily

fremd strange, foreign, unknown
fressen, a, e to eat (*of animals*)
die Freude, –n joy, delight, pleasure; die Freudenträne, –n tear of joy; freudig joyful; sich freuen über to be happy about
freundlich friendly; freundschaftlich friendly
der Friede, –ns, –n peace, harmony; friedlich peacefully, harmoniously
fröhlich happy, gay
fruchtlos fruitless
früh early
der Frühling, –e spring
die Frühzeit early period
führen to lead, take; der Führer, – leader
der Fund, –e find, discovery
die Fundstelle, –n place of discovery
funkeln to sparkle
die Furcht fear; furchtbar terrible, dreadful, horrible
(sich) fürchten to fear, be afraid; fürchterlich terrible, frightful
der Fuß, "e foot; zu — on foot; der Fußgänger, – hiker

die Gabelung, –en bifurcation
ganz all, whole, complete, entire; very, quite, altogether
gar quite; — nicht not at all
die Gastfreundschaft hospitality; der Gastgeber, – host; der Gasthof, "e inn; das Gastmahl, "er banquet
der Gatte, –n, –n husband
das Gebäude, – building, structure
geben, a, e to give; es gibt there is, there are
das Gebet, –e prayer
das Gebiet, –e sphere, field; territory
gebildet educated; die Gebildeten educated (people)
das Gebirge, – mountain
geboren (*p.p.*) born; Geborene (*pl.*) persons born

das Gebot, –e commandment
der Gebrauch use; gebrauchen to use
das Gebrüll roar
der Geburtstag, –e birthday
das Gedächtnis memory
der Gedanke, –n, –n thought, idea; die Gedankenfülle abundance of ideas; die Gedankenkette, –n chain of ideas; die Gedankentiefe depth of thought; die Gedankenwelt world of ideas
das Gedicht, –e poem
die Geduld patience; geduldig patient(ly)
die Gefahr, –en danger; gefährlich dangerous
gefallen, ie, a to like
das Gefangenenlager, – prison-camp
gefeiert (*p.p.*) celebrated
das Gefieder, – feathers, plumage
geflügelt (*p.p.*) winged
das Gefühl, –e feeling
gegen against; toward
die Gegend region, neighborhood
der Gegengrund, "e contrary reason; der Gegensatz, "e contrast, opposition, antithesis; der Gegenstand, "e object; das Gegenteil, –e contrary
gegenüber opposite; compared with; gegenüber-stellen to contrast
die Gegenwart presence
der Gegner, – opponent
der Gehalt content
das Geheimnis, –se secret
der Geheimrat, "e privy councillor
das Geheul howling
gehören to belong
der Geist, –es spirit, mind, genius; ghost; die Geistererscheinung, –en (ghostly) apparition; das Geistesleben intellectual life; geistig intellectual, mental; geistlich religious, spiritual; der Geistliche, –n clergyman, minister
das Gekreisch screaming

gelangen to reach, get to
der Geldmangel lack of money
die Gelegenheit, –en opportunity,
occasion; **gelegentlich** occasional(ly)
gelehrt (*p.p*) learned; **der Gelehrte,** –n, –n scholar; **die Gelehrtenarbeit,** –en scholarly
work; **das Gelehrtengesicht** face
of a scholar
gelernt (*p.p.*) trained
geliebt (*p.p.*) beloved
der Geliebte, –n, –n beloved, sweetheart
gelingen, a, u (ist) to succeed
gelten, a, o to be valid; — *with dative* be directed to; — als be
looked upon as; — von apply to
gemein common, ordinary; in common; **der Gemeinbesitz** common
possession; **gemeinsam** common
genau exact; — so just as; **die Genauigkeit** exactness
genial' ingenious, original; **das Genie',** –s genius
genießen, o, o to enjoy
genügen to suffice; **genügend**
enough; sufficiently
die Genugtuung satisfaction
der Genuß, "e enjoyment
der Geodät', –en, –en geodetic surveyor
gerade just, happened to be
geraten, ie, a (ist) to become involved
das Geräusch, –e noise
gerecht just; **die Gerechtigkeit** justice
gering small, little; im –sten in the
least
das Gesamtwerk, –e complete work
der Gesang, "e song
das Geschäft, –e business; **geschäftlich** business (*adj.*); **die Geschäftsbeziehungen** (*pl.*) business connections; **das Geschäftshaus,** "er firm; **das Geschäftsleben** business life; **der Geschäftsmann,** –leute businessman

geschehen, a, e (ist) happen, be
done; **das Geschehnis,** –se event,
happening
das Geschenk, –e gift
die Geschichte, –n story; history;
geschichtlich historical; **der Geschichts'philosoph',** –en, –en
philosopher of history; **die Geschichts'philosophie'** philosophy
of history; **geschichts'philoso'-
phisch** historical–philosophical;
das Geschichtswerk, –e book of
history, historical work; **die Geschichtswissenschaft** science of
history
das Geschick fate, destiny; skill
geschickt skilful
der Geschmack taste
das Geschoß, –e projectile; **der Geschoßteil,** –e shell splinter
das Geschrei shouting
geschult (*p.p.*) trained, educated
die Geschwindigkeit speed
die Gesellschaft, –en company, society; **das Gesellschaftsleben** social life; **der Gesellschaftsmensch,** –en, –en society man
das Gesetz, –e law
das Gesicht face; **der Gesichtskreis,**
–e (mental) horizon; **der Gesichtspunkt,** –e point of view
das Gespräch, –e conversation
die Gestalt, –en form; shape
gestatten to allow, permit
gesund well, healthy
die Gewaltherrschaft despotism;
gewaltig enormous, huge
das Gewand, "er garment, gown
gewandt clever, expert
das Gewehr, –e gun, rifle
gewillt sein to be willing
der Gewinn, –e profit; **gewinnen,**
a, o to win
gewöhnt sein to be accustomed
gewiß certain, indeed; in gewissem
Sinne in a sense
das Gewissen consciousness, conscience
die Gewißheit certainty, assurance

das Gewitter, – thunderstorm
sich gewöhnen to get accustomed;
gewöhnt sein to be accustomed;
gewöhnlich ordinary, usual
der Gipfel, – top, peak
der Gladiato'renkampf, ⁔e gladia-
torial fight
der Glanz splendor; glänzend brilliant, splendid
die Glasröhre, –n glass tube
der Glaube, (gen.) –ns belief, faith;
der Gläubige, –n believer
gleich adv. at once; adj. same;
gleichzeitig contemporary; si-
multaneous
der Glockenschlag, ⁔e stroke of the
clock
das Glück happiness, luck, good
fortune; glückbringend bringing
good luck, fortunate; glücklich
happy, fortunate; glücklicher-
weise fortunately
glühen to glow; glühend glowing,
fiery
die Goldgier greed for gold; der
Goldschatz, ⁔e gold treasure; der
Goldschimmer, – golden glimmer; die Goldschmiedekunst
goldsmith's art; der Goldschmuck
golden ornaments
gotisch Gothic
die Göt'terfigur', –en idol; der
Gottesglaube, (gen.) –ns belief
in God; göttlich divine
das Grab, ⁔er grave, tomb; graben,
u, a to dig
der Graf, –en, –en count
die Gramma'tik, –en grammar
grausam cruel
die Grenze, –n bound, boundary
der Grieche, –n, –n Greek; (das)
Griechenland Greece; die
Griechenliebe love for Greece;
das Griechenmädchen, – Greek
girl; die Griechensehnsucht longing for Greece; die Griechenverehrung worship of the Greek;
die Griechin, –nen Greek

woman; griechisch Greek; das
Griechisch Greek
grimmig grim
grob coarse, rude, bad
groß big, great; tall; important, ex-
tensive; großartig grand; die
Größe, –n greatness, magnitude;
der Großkaufmann, –leute
wholesale merchant; die Großtat,
–en noble achievement; die
Großstadt, ⁔e large town
der Grund, ⁔e reason; der Grundgedanke, –ns, –n fundamental
idea; die Grundlage, –n basis,
foundation; grundlegend fundamental; gründlich thorough(ly);
die Gründlichkeit thoroughness;
der Grundriß, –e ground plan;
grund'verschie'den entirely dif-
ferent; der Grundzug, ⁔e characteristic feature
günstig favorable, friendly
der Gürtel, – belt
die Gymnasial'bildung Gymnasium
education; das Gymna'sium
(German) gymnasium (a secondary school)

die Haar'frisur', –en head-dress,
coiffure
der Hafen, ⁔n harbor; die Hafenstadt, ⁔e seaport
die Halbinsel, –n peninsula
halten, ie, a to hold; — für consider, take for; der Haltepunkt,
–e stop
die Hamletklage, –n Hamlet's la-
ment
handeln to act; — von deal with;
sich — um be a question of; der
Han'delsarti'kel, – article of
trade, commodity; das Handels-
interesse, –n commercial inter-
ests; die Handelsmesse, –n trade
fair; die Han'delsstati'stik commercial statistics; die Handlung,
–en action; plot
der Handwerker, – craftsman
hängen, i, a to hang; cling to

der Haß hatred; **hassen** to hate
hauen to cut
der Haufen, – pile
häufig frequent
der Häuptlingssohn, ˝e chief's son
hauptsächlich particularly, chiefly;
die Hauptstadt, ˝e capital; **der
Hauptstrom,** ˝e main river; **der
Hauptzweck** main purpose
hausen to live, house; **häuslich** domestic
heben, o, o to raise, lift
der Heilige, –n, –n saint
die Heimat homeland; **die Heimatstadt,** ˝e hometown
die Heirat, –en marriage; **heiraten**
marry
heißen, ie, ei to be called; mean;
d.h. = das heißt that is
der Held, –en, –en hero; **heldenhaft** heroic; **die Heldensage,** –n
heroic legend; **die Heldin,** –nen
heroine
hellbraun light brown
herab'-sinken, a, u (ist) to fall,
drop
heran'-kommen, a, o (ist) to approach
heran'-wachsen, u, a (ist) to grow
up
heraus-heben, o, o to stress
heraus'-kommen, a, o (ist) to get
out of
heraus'-nehmen, a, o to take out
der Herbst, –e fall, autumn
herein'-stürmen (ist) to rush in
der Herr, –n, –en master, Lord;
herrlich magnificent, wonderful;
herrschen to dominate; prevail;
der Herrscher, – ruler, master;
die Herrschaft rule
herum' around
herum'-wandern (ist) to wander
about
der Herzog, ˝e duke; **die Herzogin,**
–nen duchess; **das Herzogtum,**
˝er duchy
das Heu hay
heutig of today, modern

die Hilfe help, aid; relief; **hilflos**
helpless
der Himmel heaven, sky; **die Himmelsräume** (pl.) the heavens;
die Himmelssehnsucht longing
for heaven; **himmlisch** heavenly;
celestial
hin und her back and forth; **hin
und wieder** now and then
hinab'-fahren, u, a (ist) to travel
down
hinab'-reiten (ist) to ride down
hinauf' up
hinaus'-gehen (ist) to go out; —
über — to go beyond, exceed
hindern to hinder, prevent; **das
Hindernis,** –se hindrance, obstacle
hindurch'-graben to dig through
hingestreckt (p.p.) stretched out
sich hin-setzen to sit down
hinsichtlich with regard to
der Hintergrund background
hinterher afterwards
hinterlas'sen, ie, a to leave, leave
(behind)
hin-weisen, ie, ie to point out
hinzu'-fügen to add
hochbegabt highly gifted; **hochgewachsen** tall; **die Hoch'kultur',**
–en highly developed culture;
höchst highly; **höchstentwickelt**
most highly developed
der Hof, ˝e court; **die Hofdame,** –n
lady in waiting; **der Hof'komponist',** –en, –en court composer;
höflich polite
die Höhe, –n height, top; elevation,
altitude; **die Höhenlinie,** –n contour; **die Höhenmessung,** –en
hypsometry, measurement of
heights; **das Hö'henprofil'** profile
of elevation; **der Höhepunkt,** –e
peak; climax
holen to get, fetch
holländisch Dutch
die Hölle hell; **die Höllenangst,** ˝e
fear of hell; **der Höllenbesucher,**
– visitor of the Inferno; **die**

Höllenfahrt, –en descent into hell; das Höllenfeuer, – hell's fire; höllisch hellish, infernal; of hell

das Holz wood; hölzern wooden; der Holztisch, –e wooden table

der Hotelbesitzer, – hotel owner

hübsch pretty

der Hügel, – hill

die Hungersnot, ⁎e famine

hüpfen to hop

der Hut, ⁎e hat

immer always; — weniger less and less; — wieder again and again

imponie'ren to impress

der Indigohandel indigo trade

der Industrie'betrieb, –e industrial concern

infolgedes'sen because of that

innen; von — from within; das Innere interior; innerhalb within

die Insel, –n island; der Inselberg, –e insular mountain

sich interessie'ren für be interested in

inwiefern' to what extent

inzwi'schen meanwhile

irgendein any, some; irgendwo somewhere

sich irren to err; der Irrtum, ⁎er error

die Ita'lienreise, –n trip through Italy

das Jagdhaus, ⁎er hunting lodge; der Jagdzug, ⁎e hunting expedition; jagen to hunt; to chase; drive out; der Jäger, – hunter, game keeper

jahrelang for years; die Jahresmiete, –n year's rent; die Jahreszeit, –en season

das Jahrhun'dert, –e century; der Jahrhun'dertbeginn beginning of the century; jahrhun'dertelang for centuries; die Jahrhun'dertmitte middle of the century; die

Jahrhun'dertwende turn of the century

das Jahrzehnt', –e decade; jahrzehn'telang for decades

je ever

jedenfalls at any rate

jedesmal each time

jedoch' however

jenseitig (lying) beyond, hereafter

die Jugend youth; jugendlich youthful; die Jugenderziehung training of youth

die Jungfrau maiden

das Kaffeehaus, ⁎er café

der Kaiser, – emperor; die Kaiserin, –nen empress; kaiserlich imperial

der Kampf, ⁎e fight, struggle; kämpfen to fight; struggle

der Kano'nendonner thunder of cannons

das Kap cape

das Kapital' capital, wealth

die Karte, –n chart, map

die Katho'denröhre, –n cathode tube; der Katho'denstrahl, –en cathode ray

kaufen to buy; der Kaufmann, –leute merchant

kaum hardly, almost not; scarcely

keinerlei of no sort; keineswegs by no means, not at all

kennen-lernen to get to know, become acquainted with; der Kenner, – expert; die Kenntnis, –se knowledge

der Kerl, –e fellow

die Kette, –n chain

kinderreich prolific

kindlich childlike

der Klang, ⁎e sound

klassenlos without class-distinction

klatschen to clap

das Klavier', –e piano; der Klavier'virtuos', –en, –en virtuoso on the piano, pianist

das Kleid, –er dress

kleiden to dress; clothe

(das) Kleina'sien Asia Minor
kleinlich petty, trivial
das Kleinstadtelend small town
misery; die Kleinstadtenge small
town narrowness
klettern to climb
klingen, a, u to sound
klopfen to knock
klug smart; der Klügere the smarter
person
die Knabenjahre (pl.) (years of)
boyhood
knattern to crack
der Knochen, – bone; der Knochenbau bone structure; der Kno-
chenbruch, "e bone fracture;
knöchern of bone
der Koch, "e cook
das Kolonial'reich, –e colonial empire; der Kolonial'spanier, – colonial Spaniard
komisch comical
kommen, a, o (ist) to come; — zu
to acquire
komponie'ren to compose; die Kom-
ponier'methode, –n way of com-
posing; der Komponist', –en, –en
composer
der König, –e king; königlich royal;
die Königsburg, –en royal castle
konkurrie'ren to compete
das Kopfweh headache
der Körper, – body; der Körperbau
bodily structure, constitution;
körperlich bodily, physical
korrektur'frei free of corrections
kostbar precious; die Kosten (pl.)
expense
die Kraft, "e force, strength, power,
vigor; kräftig strong, healthy;
kraftvoll vigorous, powerful; das
Kraftzentrum power center
krank ill; kränken to provoke; offend; das Krankenhaus, "er hospital; die Krankenpfleger (pl.)
male (or female) nurses; die
Krankenpflegerin, –nen nurse
der Kreis, –e circle; kreisend cir-
cling around

kretisch Cretan
der Krieg, –e war; der Krieger, –
warrior; der Kriegsgrund, "e reason for war; die Kriegsunruhen
(pl.) war disturbances
die Kristall'physik' crystallograph-
ics
die Kritik', –en criticism; der Kritiker, – critic; kritisch critical
die Krone, –n crown
das Kultur'paradies cultural para-
dise; die Kultur'schicht, –en
layer of culture
sich kümmern um to be concerned
with
der Kunde, –n, –en customer, client
die Kunst, "e art; der Künstler, –
artist; künstlerisch artistic; kunstvoll artistic; das Kunstwerk, –e
work of art
das Kupfergefäß, –e copper vessel
kürzen to shorten; kürzlich re-
cently; kurzwellig short-wave
die Küste, –n coast; das Küstengebiet, –e coastal territory; die
Küstenstadt, "e coastal town

lächeln to smile; lächerlich ridicu-
lous
laden, u, a to load
die Lage situation; condition; circumstances; location; position
lähmen to paralyze
der Laie, –n, –n layman; der Laien-
kreis, –e circle of laymen
der Landbesitzer, – land-owner;
das Landhaus, "er country-home;
die Landschaft, –en landscape;
der Landsmann, –leute fellow
countryman; die Landvermessung, –en land survey; die Landzunge, –n spit (of land)
lang long; eine Weile — for a
while; lange for a long time; die
Länge length; längst long ago
langweilen to bore
der Lärm noise
die Last, –en load

die Laufbahn –en career; laufen, ie, au (ist) to run, go; der Laufjunge, –n errand-boy

der Laut, –e sound

leben'dig alive, living; –machen bring back to life

die Lebensanschauung, –en view of life; die Lebensaufgabe, –n life-work; die Lebensbeschreibung, –en biography; die Lebensfreude joy of life; die Lebensgeschichte, –n life history, biography; das Lebensjahr, –e year of (one's) life; die Lebenskraft, ⁓e vigor; der Lebensraum, ⁓e living space; der Lebenstraum, ⁓e life-dream; die Lebensweise, –n mode of living

die Leber liver; die Leberwurst, ⁓e liver sausage

das Lebewesen, – living creature; lebhaft vivid

der Lederstrumpf leatherstocking

leer empty

legen to lay, put

das Lehrbuch, ⁓er text book; die Lehre, –n doctrine, teaching; der Lehrling, –e apprentice; die Lehrtätigkeit teaching activity; theolo'gische — teaching of theology

der Leib, –er body

das Leid, –en sorrow, pain; suffering; grief; leiden, litt, gelitten to suffer; das Leiden, — suffering; leidenschaftlich passionate, ardent; das Leidensjahr, –e year of suffering

leider unfortunately

leisten to achieve, accomplish, do; die Leistung, –en achievement

leiten to direct; der Leiter, – manager, head, director; der Leitstern guiding-star; die Leitung direction

die Lektü're reading

die Leute (pl.) people

das Lichtpünktchen, – (small) dot of light; lichtempfindlich sensi-

tive (to light); der Lichtschimmer, – gleam; das Lichtschwert, –er sword of light; der Lichtträger, – bearer of light; lichtundurchlässig light-tight, opaque; die Lichtundurchlässigkeit opacity

lieb dear; die Liebe love; der Liebende, –n, –n lover; der Liebesbund love-alliance; die Liebesgeschichte, –n love-affair; die Liebesszene, –n love-scene

liegen, a, e to lie, be situated

die Linie, –n line; here outline

die Literatur'schöpfung, –en literary creation

das Lob praise; loben to praise

das Loch, ⁓er hole

die Loge, –n box (in theater)

der Lohn, ⁓e compensation, reward; wages

das Los, –e lot, fate

los-brechen, a, o to break off; burst out

lösen to solve; work out

los-kommen (ist) to get away

sich los-machen to free (oneself)

die Luft, ⁓e air

der Luftdruck atmospheric pressure

die Lust pleasure, delight

lustig merry, jolly, gay; sich — machen über to make fun of

machen to make; take

die Macht, ⁓e strength, power; die Machtgier greed for power; mächtig mighty, powerful; der Machtwille desire for power

das Mal time; mit einem — suddenly

malen to paint; der Maler, – painter

manchmal sometimes

der Mangel, ⁓ lack

mannigfaltig manifold, various

die Manuskript'seite, –n page of manuscript

das Märchen, – fairy tale; das Märchendorf, ⁓er fairy tale vil-

lage; der Märchenerzähler, –
teller of fairy tales; märchenhaft
fabulous; das Märchenland fairy-
land; die Märchenlandschaft,
–en fairy tale landscape; das
Mär'chenmotiv', –e motif of the
fairy tale; die Märchensammlung, –en collection of fairy tales;
der Märchenwald, "er fairy tale
forest

der Marktplatz, "e market-place

der Mar'morkoloss', –e marble co-
lossus; der Mar'morpalast', "e
marble palace; die Marmorstadt,
"e marble city

das Massenelend misery of the
masses; das Massengrab, "er
common grave

der Maßstab, "e scale, standard;
measure

die Mauer, –n wall

das Maultier, –e mule

das Medikament', –e medicine,
drug

das Meer, –e sea, ocean; der
Meeresboden ocean floor; die
Meeresenge, –n straits; die
Meeresküste, –n sea-coast; das
Meeresleuchten phosphorescence
of the sea; der Meeresspiegel sea
level; die Meeresströmung, –en
ocean current; das Meeresufer,
– seashore

mehrere several

die Mehrheit, –en majority

die Meinungssache, –n matter of
opinion

meistens mostly

der Meister, – master; maestro;
meisterhaft masterly; das Meisterwerk, –e masterpiece

melden to announce

das Menschengesetz, –e man's law;
die Menschenliebe love of men;
die Menschenseele, –n human
soul; die Menschheit mankind,
humanity; die Menschheitsge-
schichte, –n history of mankind;
menschlich human; humane

messen, a, e to measure; survey; die
Messung, –en measuring; survey

das Metall'stück, –e metal piece

der Militär'arzt, "e army-surgeon

mischen to mix

mißach'ten to disregard; despise

der Mißerfolg, –e failure

der Missions'arzt, "e missionary
physician; das Missions'blatt, "er
missionary bulletin; die Missions'gesellschaft, –en missionary society

das Mißtrauen mistrust, distrust;
mißtrauisch suspicious

mißverstehen, mißverstand, mißverstanden misunderstand; das Miß-
verständnis, –se misunderstand-
ing; misconception

die Mitarbeit collaboration; der
Mitarbeiter, – collaborator, col-
league

mit-bringen, brachte mit, mitgebracht to bring along

der Mitbürger, – fellow-citizen

miteinan'der with one another

mit-geben, a, e to give (along)

das Mitgefühl sympathy

das Mitglied, –er member

das Mitleid pity, sympathy

der Mitmensch, –en, –en fellow
man

der Mitschüler, – fellow pupil

das Mittel, – means; das Mittelalter Middle Ages; mittelalter-
lich medieval

mittellos without means, destitute

mittelmäßig average, mediocre; die
Mittelmäßigkeit mediocrity

das Mittelmeergebiet, –e region of
the Mediterranean Sea

der Mittelpunkt, –e center; der
Mittelweg, –e middle course

mittler– middle, central

mögen, mochte, gemocht may, like

möglich possible; die Möglichkeit,
–en possibility; potentiality

monatlich monthly

der Mönch, –e monk

das Moos, –e moss

der Mörder, – murderer; die Mörderin, –nen murderess; mörderisch murderous
der Mordversuch, –e attempt at murder
der Moski'tostich, –e mosquito bite
das Motiv', –e motive; subject, motif
die Müdigkeit tiredness
die Mühe –n toil, effort; trouble
mumifiziert' (p.p.) mummified
der Mund mouth; mündlich oral
murmeln mutter; whisper
der Musikant', –en, –en musician
das Musik'drama, –dramen opera; der Musiker, – musician; der Musik'forscher, – music scholar; der Musik'freund, –e lover of music; der Musik'kenner, – musical expert; musik'liebend music-loving
der Mut courage; mutig courageous
mütterlicherseits on the mother's side; die Muttersprache mother tongue
myke'nisch Mycenaean
die Mythe, –n myth

nach to; after; according to
nach-denken, dachte nach, nachgedacht to think, reflect; consider; das Nachdenken reflection
nach-geben, a, e to give in, yield
der Nachhauseweg the way home
nach-jagen to chase (after)
die Nachkriegsjahre (pl.) postwar years
nach-lassen, ie, a to grow less
die Nachricht, –en news
nächst next, closest
die Nacht, "e night
der Nachteil, –e disadvantage
nächtlich nightly; dark; nachts at night; der Nachtwächter, – nightwatchman; das Nachtwächterhorn, "er night-watchman's horn;

das Nachtwächterlied, –er nightwatchman's song
die Nachwelt posterity
nahe near; näher nearer, more closely; nächst closest; die Nähe vicinity; sich nahen to approach
die Nahrung food
naiv' naive, artless
namentlich especially
nämlich namely, that is to say
naß wet, damp
die Natur'beseelung animation of nature; die Natur'erscheinung, –en phenomenon of nature; der Natur'forscher, – scientist, naturalist; die Natur'geschichte natural history; der Natur'laut, –e sound of nature; die Natur'lehre natural science; natür'lich naturally; natur'liebend nature-loving; die Natur'wissenschaft, –en natural science; der Natur'wissenschaftler, – scientist; natur'wissenschaftlich scientific
n. Chr. (nach Christus) A.D.
der Nebel, – fog; der Nebelstern, –e nebulous star
der Nebenstrom, "e tributary
nebenbei besides
die Nebenbeschäftigung side-occupation, secondary occupation
neblig foggy
der Neger, – Negro; das Negermärchen, – Negro fairy tale; der Negerstamm, "e Negro tribe
der Neid envy; neidisch envious
nennen, nannte, genannt to name, mention, call
das Netz, –e net
neu new; von neuem anew; die Neuerung, –en innovation
die Neugierde curiosity; neugierig curious; der Neugierige, –n, –n curious person
das Neugrie'chische Modern Greek
nichtdeutsch non-German
nie never
nieder-schreiben, ie, ie write down

niemand no-one

noch still; — einmal once again; — nie never before

nordisch northern

die Not, ⁀e trouble, difficulty; want, need

das Notenpapier music-paper

nötig necessary, required

die Nummer, –n number

der Nutzen usefulness, profit

ob whether

oben above

ober upper; (das) Oberbayern Upper Bavaria; (das) Oberita′lien Upper Italy

obwohl′ although

der Ofen, ⁀ stove

offen open; public; die Offenherzigkeit frankness; offensichtlich obviously

das Ohrenleiden infection of the ear

die Opernbühne, –n opera stage; das Opernglas, ⁀er opera glass; der Opernspielplan, ⁀e opera repertoire

das Opfer, – sacrifice; victim

der Orden, – decoration, medal

die Orgel, –n organ; der Orgelbau organ building; das Or′gelkonzert′, –e organ concert; das Orgelspiel organ playing; der Orgelspieler, – organ player, organist

der Ort place, spot; die Ortsbestimmung, –en fixing of position

(das) Österreich Austria; der Österreicher, – Austrian

paar; ein paar a few

der Palast′, ⁀e palace

der Pappmantel, ⁀e cardboard casing

das Parkett′, –e main floor

der Paß, Pässe passport

das Patent′amt, ⁀er patent office

die Pause, –n intermission

das Pergament′, –e parchment

die Person′, –en person; character; die Persön′lichkeit personality

die Pest plague

das Pfarrhaus, ⁀er parsonage

das Pfeifchen, – (small) pipe

das Pferd, –e horse

die Pflanze, –n plant

die Pflicht, –en duty

die Phantasie′, –en imagination; das Phantasie′kostüm′, –e fancy costume; die Phantasie′welt, –en imaginary world

der Phantast′, –en, –en visionary

phili′sterhaft narrow-minded

der Philolo′ge, –n, –n philologist

das Philosophie′ren the philosophizing

die Pinie, –n nut-pine

planmäßig according to plan, systematic

das Plättchen, – small thin plate; die Platte, –n plate

plötzlich sudden(ly)

die Poesie′ poetry

die Pole′mik controversy

das Polytech′nikum technical college

prächtig magnificent

der Prager, – inhabitant of Prague; adj. of Prague

der Prediger, – preacher, minister

das Preisgeld, –er prize money

der Preuße, –n, –n Prussian

die Primiti′ven (pl.) the primitive people

prinzipiell′ on principle

der Prioritäts′anspruch, ⁀e claim to priority

die Probe, –n rehearsal; sample

die Professur′, –en professorship

die Profit′gier greed for profit; profit′gierig profit greedy

die Prosa prose

prüfen to examine, test

der Prunk splendor

das Publikum public, audience

der Punkt, –e point; — sieben Uhr seven o′clock sharp

der Puppenfaust Faust-puppet;

das **Puppenspiel,** –e puppet-play; die **Puppenspielfabel,** –n puppet-play legend; das **Puppenthea'ter** puppet-theater
der **Pyrami'denbauer,** – pyramid builder

die **Quelle,** –n spring
das **Quadrat',** –e square

der **Rabe,** –n, –n raven
die **Rache** vengeance; sich **rächen** to take revenge
der **Rachen** jaws, mouth
die **Radikal'kur,** –en radical cure
der **Rand,** *er edge, rim
die **Rasse,** –n race; das **Rassenvorurteil,** –e race prejudice
rastlos restless, indefatigable
der **Rat** advice; **raten,** ie, a to advise; der **Ratgeber,** – councilor
das **Rätsel,** – riddle, puzzle
der **Räuber,** – robber
der **Rauch** smoke; **rauchen** to smoke; der **Raucher,** – smoker; die **Rauchwolke,** –n cloud of smoke
reagie'ren to react, respond, take notice
reali'stisch realistic, naturalistic
rechnen to count
recht right; true; quite; — **haben** be right; — **geben** to agree with; das **Recht** right, claim; **rechtzeitig** in time
die **Rede,** –n speech; der **Redner,** – speaker
die **Regel,** –n rule
der **Regen** rain
regie'ren to govern, rule; die **Regie'rung,** –en government; der **Regie'rungsbeamte,** –n, –n government official
das **Reich,** –e realm; das **Deutsche** — Germany; das — **Gottes** the Kingdom of God
der **Reichtum,** *er riches
reif ripe; mature
die **Reihe,** –n row, series; file

rein pure
die **Reise,** –n journey, trip; das **Reisebuch,** *er book of travels; der **Reisegenosse,** –n, –n fellow traveller; die **Reisekosten** (pl.) travel expenses; **reisen** (ist) to travel; der **Reisende,** –n, –n traveller; der **Reisewagen,** – travelling coach; das **Reisewerk,** –e book of travels
reiten, ritt, ist geritten to ride (on horseback)
die **Rekla'me** advertisement; propaganda
der **Rektor,** –s, –en president
der **Renaissance'mensch,** –en, –en Renaissance man
der **Rest,** –e rest, remainder; pl. remains
retten to save, rescue; die **Rettung** rescue
reuig penitent
rezitie'ren recite
richten to direct; die **Richtung,** –en direction
der **Riese,** –n, –n giant; der **Rie'senorganis'mus,** –men gigantic organism; das **Riesenreich,** –e huge empire; die **Riesensumme,** –n gigantic sum; das **Riesenwerk,** –e gigantic work, gigantic undertaking; **riesig** gigantic, colossal
die **Ringmauer,** –n city wall
der **Rock,** *e coat
die **Röhre,** –n tube
das **Rokokopublikum** rococo public
die **Rolle,** –n roll; part
roma'nisch Romanesque
die **Roman'tik** romanticism; der **Roman'tiker** romanticist
römisch Roman
der **Rönt'genapparat',** –e X-ray apparatus; die **Röntgenaufnahme,** –n X-ray picture; das **Röntgenbild,** –er X-ray picture; der **Röntgenstrahl,** –en X-ray; der **Röntgenstrom** Röntgen-current

(das) Rotkäppchen Little Red Riding Hood; rötlich reddish
der Rücken, – back
der Ruderer, – rower; rudern to row
der Ruf, -e cry, call; rufen, ie, u to call, shout; summon
die Ruhe rest, peace; ruhen to rest
der Ruhm fame
(das) Rußland Russia; die Russin, -nen Russian woman

der Saal, Säle hall
der Sack, "e sack, bag
die Sage, –n legend; sagenhaft legendary, mythical; die Sagenstadt, "e legendary city
der Salon', -s, -s drawing room
sammeln to collect; die Sammlung, –en collection
der Sänger, – singer
sauber clean
der Sauerstoff oxygen
der Schädel, – skull
schädlich harmful
schaffen, schuf, geschaffen to create, originate; das Schaffen creation; die Schaffensfreude creative joy
der Schal, -e shawl
die Schamlosigkeit, –en shamelessness
die Schande disgrace
scharf sharp; am schärfsten sharpest; scharfäugig keen-eyed
der Scharlatan, -e charlatan, quack
der Schatten, – shadow; das Schattenbild, -er shadow, silhouette
der Schatz, "e treasure
schaudern to shudder
der Schauer, – awe
die Schaufelarbeit, –en shovel work
schäumen to foam
der Schauplatz, "e scene
das Schauspiel, -e spectacle, sight; der Schauspieler, – actor; die Schauspielerin, -nen actress

sich scheiden lassen to get a divorce
scheinbar apparent; scheinen, ie, ie to seem
schenken to give, present
die Schicht, –en layer, stratum
schicken to send
das Schicksal fate; die Schicksalsgöttinnen (pl.) Fates
schießen, o, o to shoot
der Schiffsjunge –n cabin-boy
die Schiffsmannschaft, –en crew
die Schika'ne, –n chicanery
die Schilderung, –en description
der Schimmer glimmer, gleam; schimmern to glimmer
der Schirm, -e screen
die Schlacht, –en battle
der Schlag, "e blow; schlagen, u, a to beat, strike
schlangenartig snake-like
schlank slim, slender
schlau smart
schlecht bad, wicked
die Schlichtheit simplicity
schließen, o, o to close; schließlich finally; eventually
schlimm bad; schlimmer worse; das Schlimmste the worst
das Schloß, "er castle
schlüpfen to slip
der Schluß, "e end, conclusion
der Schmerz, –en pain; sorrow; schmerzen to hurt; schmerzhaft painful
schmücken to adorn
der Schnaps, "e brandy
(das) Schneewitt'chen Snow White
schneiden, schnitt, geschnitten to cut
schön beautiful, handsome; die Schöne beauty; die Schönheit beauty; am schönsten most beautifully
der Schöpfer, – creator; die Schöpferkraft creative power; die Schöpfung, –en creation
die Schranke, –n barrier

der **Schrecken,** — fright, fear, horror; **schrecklich** horrible
schreien, ie, ie to cry out, scream
der **Schriftsteller,** – writer; **schriftstellerisch** literary; die **Schriftstellerlaufbahn,** –en career as a writer
der **Schritt,** –e step
die **Schuld,** –en fault; guilt; (*pl.*) debts; **schuld sein an** to be blamed for; **schuldig** guilty; der **Schuldige,** –n, –n the guilty one
die **Schul'tragö'diě,** –n school tragedy; die **Schulzeit** school days
schütteln to shake
der **Schutz** protection
schwach weak; die **Schwäche** weakness; **schwächlich** sickly, delicate
die **Schweiz** Switzerland
schwer heavy; difficult, hard; serious, severe; die **Schwerkraft** gravity
schwierig difficult; die **Schwierigkeit,** –en difficulty, trouble
schwören, u, o to swear
das **Seebad,** ˟er seaside resort; die **Seefahrt,** –en (sea-) voyage; **seekrank** sea-sick
die **Seele,** –n soul; das **Seelenleben** spiritual life; **seelenlos** soulless; lifeless; der **Seelenvogel,** ˟ soul bird; **seelisch** emotional
die **Seemacht,** ˟e sea power; der **Seemann,** –leute sailor
die **Sehnsucht** longing
seiden silk(en)
die **Seite,** –n page; aspect
selber oneself, himself, themselves; **selbst** himself, itself; even; die **Selbsterlösung** self-redemption; **selbstlos** unselfish; **selbständig** independent; **selbstverständlich** *adj.* self-evident; obvious; natural; *adv.* naturally
selten rare
seltsam extraordinary, strange
sezie'ren to dissect
sicher assured, certain; die **Sicher-**
heit safety, security; **sicherlich** surely, undoubtedly; **sichern** to secure
sichtbar visible, apparent
der **Sieg,** –e victory
das **Siegel,** – seal
das **Siegesdenkmal,** ˟er monument commemorating the victory
der **Sinn,** –e sense, meaning; understanding; **sinnlos** senseless, foolish
die **Sitte,** –n custom, use
der **Skelett'teil,** –e part of the skeleton
die **Skepsis** scepticism
die **Skizze,** –n sketch
die **Sklavin,** –nen (woman) slave
sofort' at once, immediately
sogar' even
sogenannt so-called
sola'nge as long as
sollen is to, is said to, is supposed to
die **Sommerhitze** summer heat
sonderbar odd, strange
sonnenklar clear as daylight, evident
die **Sorge,** –n worry, care, concern; **sorgen** to care for, look after; die **Sorgfalt** care; **sorgfältig** careful, accurate
soweit' as far as
sowie' as soon as; as well as
sowohl' wie as well as
der **Spaß,** ˟e fun
der **Spaten,** – spade
die **Spätzeit** late period; last period
der **Spazier'gang,** ˟e walk
die **Speise,** –n food
speziell' special, particular
das **Spiel,** –e play
die **Spinnstube,** –n spinning room
der **Spott** ridicule, mockery
die **Sprache,** –n language; die **Sprachforschung,** –en linguistic research; der **Sprachgebrauch,** ˟e usage; **sprachlich** linguistic; **sprachlos** speechless; der **Sprachunterricht** language in-

struction; **sprachwissenschaftlich** linguistic

der **Spruch,** ⸚e saying

der **Sprung,** ⸚e leap, jump

spüren to feel, experience

der **Staatsbeamte, –n, –n** government official

das **Stadium, Stadiën** phase, stage (of development)

die **Stadtmauer, –n** city-wall

stammen aus to come from, spring from

ständig constant

der **Standpunkt, –e** point of view

die **Stärke** strength, force

starren to stare

statisch static

statt dessen in place of that

statt-finden, a, u to take place

der **Staub** dust

staunen to be amazed at; das **Staunen** amazement

stecken to stick; put

stehen, stand, gestanden to stand; be; **steht** or **steht geschrieben is** written; **stehen-bleiben, ie, ie** (ist) to stop

steigen, ie, ie (ist) to climb

steigern to increase

steil steep

steinern stone, of stone; **steinreich** enormously rich

die **Stelle, –n** place, location; passage; **stellen** to place, put; **Fragen — ask** questions; die **Stellung, –en** position

sterben, a, o (ist) to die; **sterblich** mortal

der **Stern, –e** star; das **Sternbild, –er** constellation

steuern to steer

die **Stiefmutter,** ⸚ stepmother

still: der **Stille Ozean** Pacific Ocean

stillen to satisfy

die **Stimme, –n** voice

die **Stimmung, –en** mood, sentiment

der **Stoff, –e** material; die **Stoffmasse, –n** mass of material

stolz proud; der **Stolz** pride

stopfen to stuff, put

stören to disturb, interfere with; die **Störung, –en** disturbance, interference

die **Strafe, –n** punishment

der **Strahl, –en** ray

der **Strand** beach

streben to strive; das **Streben** striving

die **Strecke, –n** stretch, distance

(sich) **streiten, stritt, gestritten** to quarrel; compete; die **Streitigkeit, –en** controversy

streng strict

der **Strom,** ⸚e stream; current, river; das **Stromgebiet, –e** river basin; die **Strömung, –en** current

der **Struktur'fehler, –** structural defect

das **Stück, –e** piece, play

die **Studen'tenliebe** sweetheart of his student days

die **Studier'stube, –n** study

das **Studium, –iën** study

die **Stufe, –n** step; stage, degree, level

stumm silent

(sich) **stürzen** to plunge; rush, fall

suchen to seek, look for, try

die **Südspitze** southern tip

der **Sumpf,** ⸚e swamp

die **Sünde, –n** sin; das **Sündenleben** sinful life; der **Sünder, –** sinner

die **Süße** sweetness

der **Symbol'gehalt** symbolic content; der **Symbol'wert** symbolic value

der **Tadel** criticism, disapproval; **tadeln** to rebuke

das **Tafelland** plateau

das **Tagebuch,** ⸚er diary; data book; die **Tagebucheintragung, –en** diary entry; das **Tageslicht** daylight; **täglich** daily

das **Tal,** ⸚er valley

der **Taler, –** thaler = three **marks**

der **Tannenwald**, ⁁er pine forest
tapfer brave
die **Tasche**, –n pocket
die **Tat**, –en deed, act; action; accomplishment
tätig active; die **Tätigkeit** activity
die **Tatsache**, –n fact
die **Taube**, –n pigeon
die **Technik** technology, engineering; **technisch** technical, technological
der **Teil** –e part; **teilen** to share; **teils** partly, to some extent; **teilweise** partial(ly)
temperament'voll high-spirited, temperamental
die **Temperatur'veränderung**, –en change of temperature
teuer dear; cherished
der **Teufel**, – devil; das **Teufelsgesicht** devil's face; der **Teufelspakt** devil's pact; das **Teufelswerk**, –e work of the devil
textkritisch scholarly
tief deep; extreme; aufs **tiefste** most deeply; **tiefblau** dark-blue; die **Tiefe** depth; der **Tiefpunkt** low point
das **Tier**, –e animal; die **Tierart**, –en species of animals; **tierisch** animal; die **Tierwelt** animal world
der **Tisch**, –e table
der **Titan'**, –en, –en Titan
tita'nisch titanic
toben to rage
der **Tod** death; die **Todesstunde**, –n hour of death; **tödlich** fatal; deadly
der **Ton**, ⁁e sound; der **Tonfilm**, –e sound film
tot dead; der **Tote**, –n, –n dead person; das **Totenbett** deathbed
tragen, u, a to carry, bear; wear; der **Träger**, – bearer, carrier; representative
die **Tragik** tragedy; **tragisch** tragic, sad; die **Tragö'die**, –n tragedy;

der **Tragö'diendichter**, – writer of tragedies
die **Träne**, –n tear
trapperskalpierend scalping trappers
trauen to trust
der **Traum**, ⁁e dream; der **Träumer**, – dreamer; die **Traumwelt** world of fancy
traurig sad
treffen, traf, getroffen to meet
treiben, ie, ie to drive, spur on; drift
trennen to separate
treten, a, e (ist) to step; go
treu true, faithful; loyal
der **Trieb**, –e impulse; urge
der **Tritt**, –e step
trocken dry
die **Trommel**, –n drum
das **Trompe'tenstück(chen)**, piece for trumpets
das **Tropenkrankenhaus** hospital in the tropics
der **Trost** consolation; **trösten** to comfort, console; **tröstlich** comforting
trotz in spite of; — alledem in spite of all that
der **Trotz** defiance
trotzdem conj. even though; adv. nevertheless
trüb troubled, sad
die **Truppe**, –n troupe, company
tüchtig able, efficient

übel (übl–) evil; das **Übel**, – evil
üben to practice
überall' everywhere
überein'-stimmen to agree, correspond
überge'ben, a, e to deliver
überhaupt' at all; in general
über'kulturell' supercultural
überlas'sen, ie, a to leave
überle'gen superior (to); das **Überle'genheitsgefühl** feeling of superiority
die **Überlie'ferung**, –en tradition

der Übermensch, –en, –en super-
man
übernatürlich supernatural
überne'hmen, übernahm, über-
nommen to take over
überra'schen to surprise
überre'den to persuade
der Überrest, –e remnant, remains
überschrei'ten, i, i to trespass; exceed
überse'hen, a, e to overlook, not
notice
überset'zen to translate
die Überset'zung, –en translation
übertrei'ben, ie, ie to exaggerate;
die Übertrei'bung, –en exagger-
ation
die Übervölkerung overpopulation,
surplus population
überwa'chen to supervise, watch
überwäl'tigend overwhelming
überwin'den, a, u to overcome; sur-
mount
überzeu'gen to convince; überzeugt sein to be convinced; die
Überzeu'gung conviction
üblich usual
übrig left over, remaining; das
Übrige the rest; übrig bleiben
to remain; — lassen to leave
übrigens by the way; moreover
das Ufer, – shore; bank
die Uhr, –en clock; o'clock
um around; — so mehr all the
more; — so schlimmer so much
the worse; — zu in order to
umar'men to embrace
um-fallen, ie, a (ist) to fall down
umfangreich comprehensive, ex-
tensive
umge'ben, a, e to surround; die
Umge'bung, –en surroundings
umher-laufen, ie, au (ist) to run
around
um-kehren (ist) to turn around
sich um-sehen, a, e to look around
die Unabhängigkeit independence
unaussprechbar unpronounceable
unbedingt absolutely

unbefriedigt unsatisfied, dissatisfied
unbekannt unknown
unbelebt inanimate
unbeschreib'lich indescribable
unbeweglich motionless
undurchdring'lich impenetrable
unentschlossen undecided
unerforscht unexplored
unermüdlich untiring
unerwähnt unmentioned
unfähig unable, incapable
unfruchtbar unfruitful, unproduc-
tive
ungeduldig impatient
ungefähr approximately
ungeheuer immense, enormous;
Ungeheures enormous things
ungenügend insufficient
die Ungerechtigkeit injustice
ungestört undisturbed
ungewöhnlich unusual
ungewohnt unfamiliar
unglaublich unbelievable
ungleich uneven, unequal
unglücklich unhappy
der Unglücksfall, "e accident
das Universal'genie', –s all-around
genius
die Universitäts'feriën (university)
vacations; das Universitäts'studium university studies
das Univer'sum universe
unmittelbar immediate
unmög'lich impossible
unnötig unnecessary
das Unrecht injustice
unregelmäßig irregular, erratic
die Unruhe unrest
die Unschuld innocence
unsichtbar invisible
unsinnig absurd
unsterblich immortal
unter– lower
unterbre'chen, a, o to interrupt
unterentwickelt underdeveloped;
die Unterentwicklung underde-
velopment
der Untergang fall, decline

unter-gehen (ist) to perish, fall; decline

unterhal'ten, ie, a to entertain; sich — converse, talk; der Unterhal'tungswert, -e entertainment value

unterirdisch underground

die Unterkleidung underwear

unterlie'gen, a, e to succumb to

unterneh'men, a, unternommen to undertake, attempt; das Unterneh'men, - undertaking; die Unterneh'mung, -en undertaking

unterrich'ten to inform

unterscheid'bar distinguishable; sich unterschei'den, ie, ie to differ; der Unterschied, -e difference

die Unterstützung support

untersu'chen to investigate, examine; die Untersuchung, -en examination; investigation

unterzei'chnen to sign

unübertreffbar unsurpassable

ununterbrochen uninterrupted

unverdient undeserved

unvergessen unforgotten

unverständlich incomprehensible, unintelligible

unvollendet unfinished

unwichtig unimportant

unwillkürlich involuntarily

unwissenschaftlich unscientifically

unzufrieden dissatisfied; die Unzufriedenheit dissatisfaction

uralt ancient

die Uraufführung first performance, premiere

die Urmythe original myth

die Ursache, -n cause

der Ursprung origin; ursprünglich originally; das Ursprungsdatum, - daten date of origin

urteilen to judge

der Urwald, "er primeval forest

usw. = und so weiter and so on

die Vakuumröhre, -n vacuum tube

v. Chr. (vor Christus) B. C.

die Verallgemeinerung, -en generalization

verändern to change

verantwortlich responsible, accountable

die Verarbeitung working up

verarmt (p.p.) impoverished

verbergen, a, o to hide

verbieten, o, o to forbid, prohibit

verbinden, a, u to connect, join, combine; die Verbindung, -en connection; combination

verbitten, a, e to decline

verbittern to embitter

verbleibend remaining

verbrauchen to use up

das Verbrechen, - crime; der Verbrecher, - criminal

verbreiten to spread; die Verbreitung circulation

verbrennen, verbrannte, verbrannt to burn

verdammen to condemn; damn; die Verdammung condemnation

die Verdammnis damnation

verdanken to owe

verdecken to cover up

verdienen to deserve; earn; der Verdienst, -e merit, deserts

verdoppelt doubled

verdrängen to displace

verdunkeln to darken

verehren to admire; die Verehrung, -en admiration, worship

vereinigen to combine; die Vereinigten Staaten the United States; die Vereinigung combination; fusion

verengen to narrow

verfassen to compose, write; der Verfasser, - author, writer

die Verfeinerung refinement

verfolgen to follow; pursue; trace

die Verfügung; zur — stehen to be at one's disposal

verführen to seduce

das Vergangene past; die Vergangenheit past

vergeben, a, e to forgive

vergeblich in vain
die Vergebung forgiveness
vergehen, verging, vergangen (ist) to pass
vergessen, a, e to forget; vergeßlich forgetful
der Vergleich, -e comparison; vergleichbar comparable; vergleichen, i, i to compare; vergleichend comparative
das Vergnügen pleasure; vergnügt happy, gay
vergrößern to enlarge
verhältnismäßig relatively
sich verheiraten to marry, get married
verhelfen zu to help (a person) to get
verherrlichen to glorify; die Verherrlichung glorification
verhindern to prevent
der Verkauf, ⁼e sale; verkaufen to sell
der Verkehr communication
die Verkündigung, -en proclamation, promulgation
verlangen to require, demand, ask; das Verlangen desire
verlassen, ie, a to leave
der Verlauf course
verleben to spend
der Verleger, - publisher
vermehren to increase
vermeiden, ie, ie to avoid
vermitteln to convey
das Vermögen, - means, wealth, property, fortune
vernachlässigen to neglect
verneinen to deny; verneinend negative; die Verneinung negation, denial
die Vernichtung, -en annihilation, destruction; der Vernichtungskrieg, -e war of annihilation
die Vernunft reason
veröffentlichen to publish; die Veröffentlichung, -en publication
verraten, ie, a to disclose, betray

verschieden various
verschlossen (p.p.) closed, locked
verschuldet indebted, having debts
verschwinden, a, u (ist) to disappear
versichern to assure
versinken, a, u (ist) to sink; disappear; versunken (p.p.) lost
der Verstand understanding, intellect; verständlich intelligible; understandable; das Verständnis understanding
verstehen, verstand, verstanden to understand
verstummen to become silent; cease
der Versuch, -e attempt; experiment; versuchen to try; die Versuchs'apparatur', -en experimental apparatus
versunken (p.p.) absorbed, lost
verteilen to distribute, hand out
vertreiben, ie, ie to drive away
vertreten, a, e to represent; der Vertreter, - representative
verunglücken (ist) to meet with an accident
verursachen to cause
die Verwaltung administration, management
(sich) verwandeln to change, transform
verwandt related; allied; der Verwandte, -n, -n relative
verwechseln to confuse
verweichlicht (p.p.) effeminate; weak
verweisen, ie, ie to refer
verwenden to employ, use
die Verwirklichung realization
verwundet (p.p.) wounded
verzweifelt desperate, in desperation
der Vetter, - cousin
vielseitig many-sided; varied; die Vielseitigkeit versatility
vieltönig in many tones
vielzitiert much quoted

die **Villa, –en** villa, suburban residence

der **Vizekönig, –e** viceroy

der **Vogel,** ⁔ bird

das **Volk,** ⁔**er** people, nation, race; die **Völkerkunde** ethnology, anthropology; das **Volksbuch,** ⁔**er** chapbook; die **Volksdichtung,** ⁔**en** popular poetry; die **Volksklasse, –n** class of people; die **Volkskunst,** ⁔**e** folk-art; das **Volkslied, –er** folk-song; das **Volksmärchen, –** (folk-) fairy tale; **volkstümlich** popular; die **Volkswirtschaft** economics

vollbring'en, vollbrachte, vollbracht to accomplish

vollen'den to complete; **sich — to** be completed, consummated; die **Vollen'dung** completion, perfection

vollkommen complete, entire

voraus' ahead

voraus'-bestimmen to predict

voraus'-sagen to predict

voraus'-sehen to foresee

vorbei'-streifen (ist) to pass by

vor-bereiten to prepare; rehearse

vor-bringen to advance

vorchristlich pre-Christian

der **Vorfahr, –en, –en** ancestor

der **Vorgänger, –** predecessor

vorhan'den sein to be available, be present

der **Vorhang,** ⁔**e** curtain

vorher' before; **vorher'gehend** preceding

vor-kommen, a, o (ist) to happen; be found, appear; occur

vorläufig for the time being

vor-lesen, a, e to read (aloud)

der **Vorsaal,** ⁔**e** entrance hall

vor-schlagen, u, a to suggest

vorsichtig cautious

vorsokra'tisch pre-Socratic

das **Vorspiel, –e** prologue

sich vor-stellen to introduce oneself; to imagine; die **Vorstellung, –en** concept, idea; performance

der **Vorteil, –e** advantage

vortrefflich excellent

der **Vorwurf,** ⁔**e** reproach; **—** **machen** to reproach

die **Vorzeit, –en** remote past

vorzüg'lich excellent

vulgär' vulgar, common

wachsen, u, a (ist) to grow; das **Wachstum** growth

die **Waffe, –n** weapon

der **Wagen, –** carriage, coach

wagen to venture, dare

wählen to choose, elect

der **Wahnsinn** madness

wahr true

während *prep.* during; *conj.* while

wahrhaft truly; **wahrschein'lich** probably

der **Wald,** ⁔**er** forest; das **Waldesdunkel** forest gloom; die **Waldesnacht,** ⁔**e** forest night

die **Wand,** ⁔**e** wall

der **Wanderer, –** hiker; **wandern** to wander; migrate

die **Wange, –n** cheek

die **Waren** (*pl.*) goods

die **Wärme** heat temperature

warmherzig warm-hearted, softhearted

was what, which; **— für ein** what kind of a

der **Wasserbauingenieur, –e** hydraulic engineer

wecken to awaken, rouse

weder . . . noch neither . . . nor

wegen because of; for the sake of

weg-gehen (ist) to go away

weg-werfen, a, o to throw away; drop

sich wehren to defend oneself

weiblich feminine

sich weigern to refuse

das **Weihnachtsfest** Christmas holidays

die **Weise, –n** manner; habit

weisen, ie, ie to show

weit far, distant; **weiter** farther;

further; additional; **weiter** (*with verb*) continue to
weiter-arbeiten continue to work
weiter-bestehen to continue to exist, go on; **das Weiterbestehen** (continued) existence
weiter-bringen to further, advance
sich **weiter-entwickeln** to develop (further); **die Weiterentwicklung** (further) development
weiter-gehen (ist) to go on
weiter-klettern to climb on
weiter-leben to live on
weitreichend far-reaching
die Wellenlänge wave length
die Weltanschauung, –en (philosophical) conception of the world; **die Weltbeschreibung,** –en description of the world; **der Weltentdecker,** – world discoverer; **der Welterfolg,** –e world-wide success; **die Welterklärung,** –en explanation of the world; **die Weltgeltung** world importance; **weltlich** worldly, secular; **das Weltreich,** –e world-dominion; **der Weltruhm** world-wide fame; **die Weltsendung,** –en world mission; **der Weltstaat,** –en world state, global state; **die Weltstadt,** ⁓e metropolis; **der Weltteil,** –e part of the world, continent; **weltweit** world-wide
die Wende turn
sich **wenden an,** wandte, gewandt to turn to
wenig little, few; –er less; immer –er less and less; –stens at least
wenn if; — auch even though
wer who; he who
werfen, a, o to throw
das Werk, –e work, undertaking
wert worth; **der Wert,** –e value; **wertlos** worthless; **wertvoll** valuable
das Wesen, – nature, character; being, creature; **wesentlich** essential, fundamental
weshalb why

westlich western
wichtig important; **das Wichtige** that which is important; **die Wichtigkeit** importance
wider-spiegeln to reflect
widerspre'chen, a, o contradict; **der Widerspruch** opposition
widmen to devote
der Wiederauf'bau reconstruction
die Wiederentdeckung, –en rediscovery
die Wiedererweckung, –en reawakening
wieder-gewinnen, a, o to regain, recover
wiederho'len to repeat; **wiederholt'** repeatedly
wiederum again; on the other hand
Wiener Viennese
wieso' why
wieviel' how much, how many
die Wildnis, –se wilderness; jungle
das Wildstier, –e wild bull
der Wille will; **die Willenskraft** will-power; **willig** willing
wirken to operate, function; impress; **wirklich** real; true; **die Wirklichkeit,** –en reality; **die Wirkung,** –en effect
wirtschaftlich commercial, economic(al); **die Wirtschaftsmacht,** ⁓e economic power
das Wirtshaus, ⁓er inn
das Wissen knowledge, learning; **die Wissenschaft,** –en science; **der Wissenschaftler,** – scientist, scholar; **wissenschaftlich** scientific; **der Wissensdurst** thirst for knowledge
der Witz, –e joke; **witzig** witty
die Woche, –n week; **wochenlang** for weeks
wohin' where
wohl indeed; well; no doubt; probably
das Wohl well-being; **wohlverdient** well-deserved; **der Wohltäter,** – benefactor
wohnen to live; **die Wohnung,** –en apartment

die Wolke, –n cloud; wolkenlos cloudless
die Wortbildung, –en word formation; das Wörterbuch, ⁻er dictionary; wörtlich literally
das Wunderkind, –er prodigy; sich wundern to wonder, be surprised
der Wunsch, ⁻e wish
die Würde, –n dignity
die Wüste, –n desert
die Wut rage, fury; der Wutausbruch, ⁻e burst of fury, fit of temper; wüten to rage

die Zahl, –en number
zahlen to pay
zählen to count, number; zahlenmäßig numerically; zahlreich numerous
der Zahn, ⁻e tooth
der Zarensohn, ⁻e son of the Czar; die Zarin Czarina
zart tender; zärtlich tender, loving
der Zauberberg Magic Mountain; das Zauberbuch, ⁻er magic book; der Zauberer, – magician; die Zauberkraft, ⁻e magic power; der Zauberkreis, –e magic circle
z.B. = zum Beispiel for example
zeichnen to draw; die Zeichnung, –en drawing
zeigen to show, demonstrate; sich — be evident
die Zeile, –n line
der Zeitabstand, ⁻e difference of time; das Zeitalter era, generation, age; zeitgebunden bound to its time; der Zeitgenosse, –n contemporary; zeitgenössisch contemporary; die Zeitlang; eine — for a time; der Zeitraum, ⁻e space of time, period; die Zeitrechnung, –en era; die Zeitschrift, –en periodical
die Zeitung, –en newspaper; der Zeitungsarti'kel, – newspaper article
das Zentrum center
zerbrechen, a, o to break

zerlegen to analyze
zerreißen, i, i to tear to pieces
zerstören to destroy; die Zerstörung, –en destruction; die Zerstörungswut destructive mania; vandalism
zerstreuen scatter
ziehen, zog, gezogen to pull, draw; move, travel
das Ziel, –e goal, aim; ziellos aimless
ziemlich rather
das Zitat', –e quotation; zitie'ren to quote
der Zitteraal, –e electric eel
der Zoll, –e inch
der Zorn wrath; zornig angry
zu-bringen to spend
zuerst' at first
der Zufall, ⁻e chance; accident; zufällig by chance, accidental; zufälligerweise by chance
zufrie'den satisfied
zu-geben, a, e to admit
der Zuhörer, – listener; (pl.) audience
die Zukunft future; zukünftig future
zu-lassen, ie, a to admit
zunächst' first of all, to begin with
zu-nehmen, a, zugenommen to increase
zurecht'-machen to prepare, make ready
zurück'-halten to hold back; restrain
zurück'-kehren (ist) to return
zurück'-legen to cover
das Zurück'sinken relapsing
zurück'-treiben, ie, ie to drive back
sich zurück'-ziehen, zog zurück, zurückgezogen to withdraw
zusam'men-brechen, a, o to collapse
zusam'men-bringen (brachte, gebracht) to bring together; raise
der Zusam'menbruch, ⁻e collapse
zusam'men-fassen to combine
der Zusam'menhang, ⁻e connection, relationship

0

DEUTSCHE DENKER UND FORSCHER

das **Zusam'menwirken** coöperation
zu-schreiben, ie, ie to attribute to
zu-sehen, a, e to look on, watch
der **Zustand** condition; state, position
zuvor' before
zu-ziehen, zog zu, zugezogen to draw
zwar to be sure, it is true

der **Zweck, –e** purpose
zweieinhalb two and one half
der **Zweifel, –** doubt; **zweifelhaft** dubious; **zweifeln** to doubt
der **Zweig, –e** branch
zweit– second; **zweitens** secondly; **zweitoberst** second from the top
der **Zwerg, –e** dwarf
zwingen, a, u to force, compel